강력한

중앙대 자연계 수리논술

기출문제

저자 소개

저자 김근현은 현재 탁트인 교육, 일으킨 바람, 에듀코어 대표이다.
前 메가스터디 온라인에서 대입 논술과 면접, 자기소개서, 학생부종합 등 다양한 동영상 강의를 하였다.
현재는 학습 프로그램 개발 및 연구 활동을 통해 교육의 발전을 고민하고 있다.
홍익대학교에서 전자전기공학부를 졸업하고 동대학원에서 전자공학 석사(반도체 레이저)를 전공하였다. 또한 연세대학교 교육경영최고위자 과정을 마쳤으며 연세대학교 교육대학원에서 평생교육 경영을 공부하고 있다.

강력한 중앙대 자연계 수리논술 기출 문제

발   행 | 2023년 07월 10일
개정판 | 2024년 06월 10일
저   자 | 김근현
펴낸이 | 김근현
펴낸곳 | 일으킨 바람
출판사등록 | 2018.11.12.(제2018-000186호)
주   소 | 경기도 고양시 일산서구 하이파크 3로 61 409동 1503호
전   화 | 031-713-7925
이메일 | ileukinbaram@gmail.com

ISBN | 979-11-93208-56-4

www.iluekinbaram.com

강력한 중앙대 자연계 수리논술 기출문제

김 근 현 지음

차례

머리말

 책을 쓰기 위해 책상에 앉으면 아쉬움과 안타까움, 나의 게으름에 늘 한숨을 먼저 쉰다.

왜 지금 쓸까?

왜 지금에서야 이 내용을 쓸까?

왜 지금까지 뭐했니?

스스로 자책을 한다.

또 애절함도 함께 느낀다.

시험이 코앞에서야 급한 마음에 달려오는

수험생들에게 왜 미리 제대로 준비된 걸 챙겨주지 못했을까?

그렇게 하루, 한 달, 일 년 그렇게 몇 해가 지나 이제야 조금 마음의 짐을 내려놓는다.

입에 단내 가득하도록 학생들에게 강의를 했고,

코앞에 다가온 연속된 수험생의 긴장감을 함께하다보면

그렇게 바쁘게 초조하게 지냈던 것 같다.

그렇게 함께했던 시간을 알기에

부족하겠지만

부디 이 책으로 수험생들이 부족한 일부를 채울 수 있고,

한 걸음이라도 희망하는 꿈을 향해 다갈 수 있길 간절히 바래 본다.

김 근 현

I. 중앙대학교 논술 전형 분석

1. 논술 전형 분석

1) 전형 요소별 반영 비율

구분	논술	학생부	총 비율
일괄합산	70%	30%(교과 20% + 비교과(출결) 10%)	100%

※ 교과: 석차등급 상위 5개 과목 반영

※ 비교과(출결): 미인정 결석 1일 이하이면 만점

2) 내신 반영 방법

● 논술전형 석차등급 환산점수표

석차등급	1	2	3	4	5	6	7	8	9
환산점수	10.00	9.96	9.92	9.88	9.84	9.80	9.60	8.00	4.00

① 석차등급별 환산점수 상위 5개 과목 선택

② 석차등급 환산점수 평균 산출

$$석차등급\ 환산\ 평균점수(논술) = \frac{\Sigma(상위\ 5개\ 석차등급\ 환산점수)}{반영\ 과목\ 수}$$ (소수 5번째 자리에서 반올림)

③ 교과영역 환산점수:

앞 ②의 '석차등급 환산 평균점수(논술)' × 20 = 교과영역 환산점수

3) 수능 최저학력 기준

캠퍼스	계열	모집단위	영역별 기준		탐구영역 반영 방법	공통
서울	자연	전체 (약학부, 의학부 제외)	국어, 수학, 영어, 과탐	3개 영역 등급 합 6 이내	상위 1과목 반영	한국사 4등급 자연 이내
		약학부		4개 영역 등급 합 5 이내	2과 평균 반영[1]	
		의학부				
다빈치		전체		2개 영역 등급 합 6 이내	상위 1과목 반영	

[1] 2과목 평균은 소수점 자리 버림 없이 그대로 반영(예시: 4개 영역 등급 합 5.5인 경우 미충족)

※ 영어 등급 반영 시 1등급과 2등급을 통합하여 1등급으로 간주하여 수능최저학력기준 충족여부를 산정

※ 제2외국어와 한문은 반영하지 않음

4) 2023학년도 (논술우수자전형) 결과

(1) 논술경쟁률 및 추가합격률

논술유형	모집인원	지원인원	최초경쟁률	실질경쟁률	추가합격률
의/약학부	38	6,444	169.6	14.3	15.8%
자연(서울)	240	12,708	53.0	13.0	18.3%
자연(안성)	105	674	6.4	1.5	18.1%

(2) 논술 유형별 지원/합격자 논술 성적 현황

구분		지원		합격	
		평균	표준편차	평균	표준편차
자연계열	의/약학부	56.9	16.1	76.7	8.2
	서울(의/약학부 제외)	50.8	13.1	73.6	6.2
	안성	43.0	10.2	48.3	9.0

(3) 교과 성적 분석

구분		지원자		합격자	
		평균	표준편차	평균	표준편차
자연계열	의/약학부	2.4	1.1	1.6	0.7
	서울(의/약학부 제외)	3.2	1.1	2.5	1.0
	안성	4.0	1.2	3.6	1.1

● 자연계열은 국어, 수학, 영어, 과학교과 중 상위 10개 과목

(4) 논술 전형 합격자 교과등급 평균 및 논술성적 평균

캠퍼스	단과대학	모집단위		논술		
				전과목	상위 5	성적
서울	자연과학대학	물리학과		4.0	2.0	84.6
		화학과		2.8	1.6	81.5
		생명과학과		3.6	2.2	82.7
		수학과		3.2	1.6	80.8
서울	공과대학	사회기반시스템공학부	도시시스템공학	3.9	2.4	77.0
			건설환경플랜트공학	3.7	1.9	79.1
		건축학부		3.9	2.2	81.4
		화학공학과		3.5	2.0	84.5
		기계공학부		3.7	2.0	80.5
		에너지시스템공학부		3.3	2.0	81.9
서울	창의ICT공과대학	전자전기공학부		3.8	2.2	67.7
		융합공학부		3.6	2.1	63.5

캠퍼스	단과대학	모집단위				
서울	소프트웨어 대학	소프트웨어학부		3.6	2.1	85.7
서울		AI학과		4.0	2.6	82.3
서울	경영경제대학	산업보안학과(자연)		4.0	1.8	60.9
서울	약학대학	약학부		2.8	1.3	73.9
서울	의과대학	의학부		3.1	1.7	88.0
서울	적십자간호 대학	간호학과(자연)		4.1	2.4	75.5
안성	생명공학대학	생명자원공학부	동물생명공학	4.5	3.2	58.2
			식물생명공학	4.3	2.8	45.4
		식품공학부	식품공학	4.6	3.2	51.0
			식품영양	4.1	2.6	55.8
		시스템생명공학과		3.9	2.2	65.5
안성	공과대학	첨단소재공학과		4.7	3.3	60.5
안성	예술공학대학	예술공학부		4.9	3.4	52.1

(5) 논술 전형 경쟁률 및 충원합격률

캠퍼스	단과대학	모집단위		논술		
				최초 경쟁률	실질 경쟁률	충원율
서울	자연과학대학	물리학과		54.6	10.4	40
		화학과		58.6	12.8	20
		생명과학과		92.8	22.7	17
		수학과		50	11.6	20
서울	공과대학	사회기반시스템공학부	도시시스템공학	59.8	12.2	20
			건설환경플랜트공학	52.5	10.0	25
		건축학부		65.4	11.5	30
		화학공학과		83.6	21.8	33.3
		기계공학부		65.7	15.1	21.7
		에너지시스템공학부		66.3	16.1	10
서울	창의ICT공과 대학	전자전기공학부		82.7	22.6	24
		융합공학부		68.5	18.8	0
서울	소프트웨어 대학	소프트웨어학부		99.4	28.6	30
		AI학과		70.6	15.8	40
서울	약학대학	약학부		126.8	6.8	0
서울	의과대학	의학부		238	46.9	7.1
서울	적십자간호 대학	간호학과	자연	38.3	6.3	37.5
안성	생명공학대학	생명자원공학부	동물생명공학	9.6	2.1	14.3
			식물생명공학	9.0	0.8	0.0
		식품공학부	식품공학	9.6	1.8	40.0
			식품영양	9.0	0.9	0.0
		시스템생명공학과		14.8	2.4	25.0
안성	공과대학	첨단소재공학과		14.4	3	42.9
안성	예술공학대학	예술공학부		7.8	1.3	11.1

5) 2022학년도 (논술우수자전형) 결과

(6) 논술경쟁률 및 추가합격률

논술유형	모집인원	지원인원	최초경쟁률	실질경쟁률	추가합격률
의/약학부	38	6,444	169.6	14.3	15.8%
자연(서울)	240	12,708	53.0	13.0	18.3%
자연(안성)	105	674	6.4	1.5	18.1%

(7) 논술 유형별 지원/합격자 논술 성적 현황

구분		지원		합격	
		평균	표준편차	평균	표준편차
자연계열	의/약학부	56.9	16.1	76.7	8.2
	서울(의/약학부 제외)	50.8	13.1	73.6	6.2
	안성	43.0	10.2	48.3	9.0

(8) 교과 성적 분석

구분		지원자		합격자	
		평균	표준편차	평균	표준편차
자연계열	의/약학부	2.4	1.1	1.6	0.7
	서울(의/약학부 제외)	3.2	1.1	2.5	1.0
	안성	4.0	1.2	3.6	1.1

● 자연계열은 국어, 수학, 영어, 과학교과 중 상위 10개 과목

(9) 논술 전형 합격자 교과등급 평균 및 논술성적 평균

캠퍼스	단과대학	모집단위		논술		
				전과목	상위10	성적
서울	자연과학대학	물리학과		3.7	2.6	68.4
		화학과		3.0	2.0	72.0
		생명과학과		3.7	2.6	66.6
		수학과		3.4	2.3	74.5
서울	공과대학	사회기반시스템공학부	건설환경플랜트공학	3.9	2.8	72.8
			도시시스템공학	3.8	2.7	71.3
		건축학부	건축공학(4년제)	4.1	3.0	70.5
			건축학(5년제)	3.3	2.1	66.1
		화학신소재공학부		3.8	2.8	80.5
		기계공학부		3.7	2.6	78.5
		에너지시스템공학부		3.7	2.5	71.6
서울	창의ICT공과대학	전자전기공학부		3.6	2.5	76.4
		융합공학부		3.6	2.6	73.0
서울	소프트웨어대학	소프트웨어학부		3.4	2.3	80.8
		AI학과		3.4	2.2	76.0

캠퍼스	단과대학	모집단위				
서울	경영경제대학	산업보안학과(자연)		3.3	2.2	67.9
서울	약학대학	약학부		2.8	1.8	68.8
서울	의과대학	의학부		2.0	1.3	84.5
서울	적십자간호대학	간호학과(자연)		3.7	2.6	68.2
안성	생명공학대학	생명자원공학부	동물생명공학	4.8	3.9	45.9
			식물생명공학	4.8	3.5	44.0
		식품공학부	식품공학	4.5	3.4	45.3
			식품영양	5.3	4.2	50.6
		시스템생명공학과		4.2	3.1	54.3
안성	공과대학	첨단소재공학과		4.8	3.1	53.3
안성	예술공학대학	예술공학부		5.0	3.8	48.6

(10) 논술 전형 경쟁률 및 충원합격률

캠퍼스	단과대학	모집단위		논술		
				최초 경쟁률	실질 경쟁률	충원율
서울	자연과학대학	물리학과		28.5	5.6	0.0
		화학과		39.1	8.4	12.5
		생명과학과		54.3	11.7	0.0
		수학과		36.3	8.1	44.4
서울	공과대학	사회기반시스템공학부	건설환경플랜트공학	34.5	7.5	29.4
			도시시스템공학	33.3	6.6	14.3
		건축학부	건축공학(4년제)	32.4	6.7	9.1
			건축학(5년제)	36.3	5.9	0.0
		화학신소재공학부		88.1	23.8	10.0
		기계공학부		53.2	13.6	52.4
		에너지시스템공학부		45.6	10.9	11.1
서울	창의ICT공과대학	전자전기공학부		65.5	18.2	22.2
		융합공학부		53.9	14.6	0.0
서울	소프트웨어대학	소프트웨어학부		109.5	28.4	7.7
		AI학과		71.0	18.3	25.0
서울	약학대학	약학부		147.3	3.1	10.0
서울	의과대학	의학부		194.4	26.7	22.2
서울	적십자간호대학	간호학과	자연	39.3	7.2	11.1
안성	생명공학대학	생명자원공학부	동물생명공학	5.5	1.3	26.7
			식물생명공학	5.6	1.2	23.1
		식품공학부	식품공학	6.0	1.2	18.2
			식품영양	5.3	0.9	0.0
		시스템생명공학과		11.0	3.1	33.3
안성	공과대학	첨단소재공학과		9.1	2.3	28.6
안성	예술공학대학	예술공학부		4.6	1.1	8.0

6) 2021학년도 (논술우수자전형) 결과

(11) 논술경쟁률 및 추가합격률

논술유형	모집인원	지원인원	최초경쟁률	실질경쟁률	추가합격률
의약학부	30	3,472	115.7	18.2	30.0%
자연(서울)	288	16,674	57.9	16.6	36.8%
자연(안성)	98	1,077	11.0	3.3	26.5%

(12) 논술 유형별 지원/합격자 논술 성적 현황

구분		지원		합격	
		평균	표준편차	평균	표준편차
자연계열	의학부	56.5	15.7	84.3	3.2
	서울(의학부 제외)	45.9	13.2	71.5	6.5
	안성	36.6	11.2	49.1	8.3

(13) 교과 성적 분석

구분		지원자		합격자	
		평균	표준편차	평균	표준편차
자연계열	의학부	2.2	-	1.2	-
	서울(의학부 제외)	3.5	-	2.3	-
	안성	4.5	-	3.4	-

● 자연계열은 국어, 수학, 영어, 과학교과 중 상위 10개 과목

(14) 논술 전형 합격자 교과등급 평균 및 논술성적 평균

캠퍼스	단과대학	모집단위		논술		
				전과목	상위10	성적
서울	자연과학대학	물리학과		3.6	2.2	76.4
		화학과		4.1	2.9	79.5
		생명과학과		3.5	2.3	76.6
		수학과		3.2	1.8	79.8
서울	공과대학	사회기반시스템공학부	건설환경플랜트공학	3.8	2.5	76.0
			도시시스템공학	3.9	2.8	74.8
		건축학부	건축공학(4년제)	3.7	2.5	70.5
			건축학(5년제)	4.1	2.7	79.0
		화학신소재공학부		3.6	2.4	85.6
		기계공학부		3.5	2.2	80.9
		에너지시스템공학부		4.0	2.8	78.2
서울	창의ICT공과대학	전자전기공학부		3.4	2.2	70.1
		융합공학부		3.3	2.2	66.5
서울	소프트웨어대학	소프트웨어학부		3.5	2.3	82.6
		AI학과		3.9	2.7	82.5

서울	경영경제대학	산업보안학과(자연)		3.9	2.8	74.9
서울	의과대학	의학부		2.9	1.8	85.4
서울	적십자간호대학	간호학과(자연)		3.6	2.4	64.5
안성	생명공학대학	생명자원공학부	동물생명공학	4.9	3.6	52.1
			식물생명공학	4.6	3.5	46.2
		식품공학부	식품공학	5.1	3.8	50.0
			식품영양	4.8	3.7	48.2
		시스템생명공학과		4.3	3.0	53.4
안성	공과대학	첨단소재공학과		4.6	3.3	60.4
안성	예술공학대학	예술공학부		4.7	3.5	51.3

(15) 논술 전형 경쟁률 및 충원합격률

캠퍼스	단과대학	모집단위		논술		
				최초 경쟁률	실질 경쟁률	충원율
서울	자연과학대학	물리학과		48.4	14.2	20%
		화학과		32.4	6.6	60%
		생명과학과		51.0	14.9	38%
		수학과		68.8	20.5	0%
서울	공과대학	사회기반시스템공학부	건설환경플랜트공학	40.1	9.0	70%
			도시시스템공학	37.5	10.3	24%
		건축학부	건축공학(4년제)	38.1	10.3	14%
			건축학(5년제)	34.0	7.2	64%
		화학신소재공학부		53.5	14.7	67%
		기계공학부		77.8	24.9	19%
		에너지시스템공학부		46.9	12.9	42%
서울	창의ICT공과대학	전자전기공학부		45.9	12.5	13%
		융합공학부		57.1	19.4	49%
서울	소프트웨어대학	소프트웨어학부		55.8	19.5	29%
		AI학과		90.7	27.5	29%
서울	경영경제대학	산업보안학과(자연)		73.8	20.7	30%
서울	의과대학	의학부		217.3	32.7	23%
서울	적십자간호대학	간호학과	자연	34.0	7.2	48%
안성	생명공학대학	생명자원공학부	동물생명공학	8.5	2.6	27%
			식물생명공학	7.6	1.4	31%
		식품공학부	식품공학	7.8	2.4	9%
			식품영양	7.9	2.1	38%
		시스템생명공학과		13.1	3.8	27%
안성	공과대학	첨단소재공학과		12.3	3.6	44%
안성	예술공학대학	예술공학부		9.7	3.1	9%

2. 논술 분석
1) 출제 구분 : 계열 구분
2) 출제 유형 :

논술유형	모집단위	출제유형
자연	전 모집단위	수리논술 (4문항)

3) 출제 방향 :
● 고등학교 교육과정의 내용과 수준에 맞추어 출제
● 대학에서의 수학에 필요한 사고력과 쓰기 능력 측정에 중점을 둔 출제

4) 출제 범위

논술유형	출제유형	교과	과목명
자연	수리논술	수학교과	수학, 수학Ⅰ, 수학Ⅱ, 확률과 통계, 미적분, 기하

3. 출제 문항 수
● 수리논술 (4문항) : 자연계열 모집단위 전체
※ 2024학년도 과학논술 제외한 수리논술만 실시, 문항도 기존의 3문항에서 4문항으로 증가

4. 시험 시간
· **120분**

5. 답안 작성시 유의사항
1. 문제지는 표지를 제외하고 모두 6페이지로 구성되어 있습니다.
2. 연습지가 필요한 경우 문제지의 여백을 이용하시오.
3. 답안지의 수험 번호 표기란에는 반드시 컴퓨터용 수성 사인펜으로 표기하고, 답안은 흑색 필기구를 사용하여 작성하시오.
4. 답안은 원고지 작성법에 따라 작성하시오(숫자, 수식, 표 등은 예외).
5. 주어진 답안 작성 분량을 지키고(띄어쓰기 포함) 답안지는 한 장만 사용하시오.
6. 답안을 작성할 때 답과 관련된 내용 이외에 어떤 것도 쓰지 마시오.
7. 제시문 속의 문장을 그대로 옮겨 쓰지 마시오.
8. 시험 종료 30분 전부터 답안지 교체는 불가합니다.
9. 휴대폰 등 전자기기는 전원을 끄고 가방에 넣어 바닥에 내려놓으시오. 시험 중 휴대폰(전자기기 포함)이 울리면 부정행위로 간주하고 즉시 퇴실 조치합니다.
※ 지정 구역을 벗어난 답안은 채점이 불가능함.
※ 수정액, 수정테이프 절대 사용 불가함.

6. 논술 작성 요령 및 유의점

● 답안지의 수험 번호 표기란은 컴퓨터용 수성 사인펜으로, 답안은 **흑색 필기구**로 작성해야 해요. **수정액, 수정테이프의 사용은 금지**되어 있습니다.

● **답안지는 한 장만 사용해야 하므로 주어진 답안 작성 분량(띄어쓰기 포함)을 지키세요. 지정 구역을 벗어난 답안은 채점이 불가능합니다.**

● 답안은 원고지 작성법에 따라 작성해야 해요(단, 숫자, 수식, 표 등은 예외). 그렇지 않으면 감점을 받게 됩니다. 답안의 글자 수 제한이 있으니 문단은 나누지 마세요.

● 연습지가 필요한 경우 문제지의 여백을 이용하고, 답안지에는 답과 관련된 내용 이외에는 어떤 것도 적지 마세요.

● 제시문 속의 문장을 그대로 옮겨 쓰면 감점을 받게 됩니다.

● 시험 종료 30분 전부터는 답안지 교체가 허용되지 않아요.

II. 기출문제 분석

1. 출제 핵심 개념

기출 연도	과목	핵심 개념 및 용어
2024학년도 수시 논술 (자연 Ⅰ)	확률과 통계	수학적 확률, 기댓값
	수학Ⅰ, 미적분	로그, $\sum_{k=1}^{n} a_k$ 덧셈정리, 치환적분
	미적분	도형의 넓이, 치환적분법, 그래프의 개형, 삼각함수의 덧셈정리
	수학Ⅰ, 기하, 수학	사인법칙, 코사인법칙, 포물선(초점, 준선) 이차방정식의 근과 계수의 관계
2023학년도 수시 논술 (자연 Ⅱ)	수학, 확률과 통계	내분, 외분, 수학적 확률, 독립
	수학Ⅱ, 미적분	도함수, 증가, 감소, 치환적분법
	미적분, 수학Ⅰ, 수학, 수학Ⅱ	정적분, 수열의 합, 평면좌표, 여러 가지 미분법, 그래프의 개형
	기하, 수학 미적분	타원, 접선의 방정식, 이차방정식의 근과 계수의 관계, 덧셈정리
2024학년도 모의 논술	수학Ⅰ, 확률과 통계	확률, 이산확률변수의 기댓값, 수열의 귀납적 정의, 확률변수
	수학Ⅱ, 미적분	도함수를 이용한 함수의 최대, 최초, 삼각함수의 성질, 탄젠트 함수, 미분
	수학Ⅰ, 수학Ⅱ, 미적분	정적분, 치환적분, 수열의 극한, 함수의 성질, 극한의 성질, 미분계수, 함수의 극한의 대소관계
	기하	공간좌표, 공간도형, 구의 외접, 피타고라스의 정리, 삼각형의 닮음, 벡터의 크기와 방향, 벡터의 길이와 내적, 벡터의 수직조건
2023학년도 수시 논술 (자연 Ⅰ)	수학	경우의 수, 합의 법칙, 곱의 법칙
	수학Ⅱ, 미적분	함수의 곱의 미분, 도함수, 정적분의 성질, 여러가지 함수의 정적분
	수학Ⅰ, 미적분	도함수, 수열의 합, 함수의 그래프, 여러 가지 함수의 정적분
2023학년도 수시 논술 (자연 Ⅱ)	수학	경우의 수, 조합
	수학Ⅰ, 수학Ⅱ, 미적분	정적분의 성질, 여러 가지 함수의 정적분, 곡선의 길이, 합성함수의 미분, 함수의 극대와 극소
	수학Ⅱ, 미적분	함수의 그래프, 음함수의 미분법, 극값

기출 연도	과목	핵심 개념 및 용어
2023학년도 모의 논술	수학 I, 수학 II	로그의 성질, 삼차방정식 및 부등식,
	수학 I, 미적분	등차수열의 일반항, 등비급수, 로그의 성질 치환적분, 삼각함수의 성질
	수학 II, 미적분	접선의 방정식, 적분, $\ln x$적분, 부분적분 원과 접한 도형의 넓이, 합성함수 미분법, 3차방정식
2022학년도 수시 논술 (자연 I)	수학	경우의 수, 수열
	수학 II, 미적분, 기하	합성함수의 미분, 곡선의 길이, 평면벡터의 내적, 함수의 극대와 극소
	수학 수학 II, 미적분	함수의 극대, 극소, 이차방정식, 치환적분, 부분적분
2022학년도 수시 논술 (자연 II)	수학	경우의 수, 조합
	수학 수학 II, 미적분	함수의 극대와 극소, 삼각함수의 덧셈정리, 적분과 미분의 관계
	수학, 미적분, 기하	원의 방정식, 부분적분, 내적, 접선의 방정식
2022학년도 모의 논술	수학	경우의 수, 원과 직선의 성질
	수학 I, 미적분	치환적분, 삼각함수의 성질, 속력과 이동거리의 관계, 도함수, 함수의 최대, 미분과 적분,
	수학, 수학 II	함수의 역함수, 미분, 이차함수의 판별식, 접선의 방정식, 두 곡선 사이의 넓이
2021학년도 수시 논술 (자연 I)	확률과 통계	확률의 덧셈정리, 사건의 독립과 종속
	수학 II, 미적분	삼차방정식, 음함수 미분, 부분적분, 다항식
	미적분	여러 가지 정적분, 음함수 미분, 합성함수 미분
2021학년도 수시 논술 (자연 II)	확률과 통계	같은 것이 있는 순열, 확률
	수학 II, 미적분, 확률과 통계	수열의 극한, 정적분과 급수의 관계, 정적분, 치환 적분
	수학 II, 미적분	속도와 거리, 함수의 극대와 극소
2021학년도 수시 논술	확률과 통계	확률변수, 확률분포, 기댓값
	수학 I,	삼차방정식, 음함수 미분, 부분적분, 다항식

기출 연도	과목	핵심 개념 및 용어
(자연 Ⅲ)	수학Ⅱ, 미적분	
	수학Ⅰ, 수학Ⅱ, 미적분	정적분의 활용, 수열의 합, 극대와 극소
2021학년도 모의 논술	확률과 통계	확률분포, 확률, 사건
	수학Ⅰ, 수학Ⅱ, 미적분	치환적분법, 부정적분, 정적분, 삼각함수의 성질, 연립방정식, 접선의 방정식, 미분법, 도함수
	수학, 수학Ⅱ	도형의 방정식, 점과 직선 사이의 거리, 미분의 개념, 함수의 극값, 최대, 최소, 극한
2020학년도 수시 논술 (자연 Ⅰ)	확률과 통계	경우의 수, 확률의 덧셈정리, 확률의 곱셈정리
	미적분, 기하	치환적분, 함수의 극값, 함수의 극한, 함수의 극값
	수학Ⅰ, 수학Ⅱ, 미적분	도함수의 활용, 정적분의 활용, 인수분해, 다항함수의 미분법, 공간 벡터
2020학년도 수시 논술 (자연 Ⅱ)	확률과 통계	경우의 수, 확률의 덧셈정리, 확률의 곱셈정리, 조건부 확률
	수학Ⅰ, 미적분, 기하	삼차방정식, 음함수 미분, 부분적분, 다항식
	수학Ⅰ,수학Ⅱ, 미적분, 기하	인수분해, 등차수열과 등비수열, 이차곡선, 평면곡선의 접선
2020학년도 모의 논술	확률과 통계	확률의 사건, 기댓값, 경우의 수, 조건부확률, 이산확률변수의 기댓값
	수학Ⅱ, 미적분	합성함수의 의미, 항등식, 연립방정식, 치환적분법, 부분적분법, 등비급수의 합, 사인함수, 코사인함수, 로그함수의 성질
	수학Ⅰ, 미적분	원과 포물선의 정의, 도형의 넓이, 정적분, 함수의 극값, 최대, 최소, 미분계수와 접선의 기울기, 두직선의 직교 조건

2. 출제의도

기출 연도	출제 의도
2024학년도 모의 논술	● 다양한 상황에서 발생하는 **확률적 사건**과 이와 관련된 확률 및 **기댓값의 개념**은 논리적 사고 및 의사결정에서 중요한 부분이다. 본 문제는 **이산확률변수의 기댓값**을 구하는 문제로, **수열의 귀납적 정의**를 통해 확률변수를 정의하고, **이항분포**를 이용하여 확률 및 기댓값을 정확하게 찾아낼 수 있는지를 평가한다. 특히 독립시행에서 일어날 수 있는 경우와 첫째항과 이웃하는 두 항 사이의 관계를 통하여 점의 최종위치를 찾아내어야 한다. ● **도함수**를 이용하여 **함수의 최댓값과 최솟값**을 찾는 과정을 이해하는 지를 묻는 문제이다. 이 과정에서 **삼각함수의 성질**을 이용하여 함수를 간단한 형태로 정리하고 **방정식의 해**를 구할 수 있는지도 평가한다. ● 고정된 두 점과 주어진 직선 위의 점이 이루는 각이 어디에서 최대가 되는지 묻는 문제이다. **탄젠트 함수의 덧셈**을 이용하여 함수를 구성하고 **미분을 이용하여 최댓값**을 구한다. θ에 대한 탄젠트 함수를 구성할 수 있는지 평가한다. 구성한 함수의 최댓값을 미분을 이용하여 계산할 수 있는지 평가한다. ● **정적분**을 구할 때 적분을 하는 함수를 적절한 형태로 변형을 한 후 **치환적분**을 계산할 수 있는지를 평가하는 문제이다. 그리고 이렇게 얻은 정적분 값에 대한 **수열의 극한**을 구할 수 있는지도 평가한다. ● **함수의 특성**과 **극한의 성질**을 활용하여 **미분계수**를 정확하게 찾아낼 수 있는지를 묻는 문제이다. 특히 **함수의 극한의 대소**관계를 이용하여 극한을 구할 수 있는지 평가한다. ● 공간좌표는 공간도형을 대수적 방법으로 학습할 수 있게 하는 도구이다. 공간좌표에서 표현되는 공간도형의 특성을 잘 파악하고 있는지 평가한다. 중심의 좌표와 반지름으로 표현되는 구는 대표적인 공간도형이다. 구에 외접하는 원뿔대를, 그 중심축을 지나는 평면으로 절단하여 얻은 단면을 이용하여 3차원의 문제를 2차원 문제로 변환하여 해결하는 능력을 평가한다. 피타고라스 정리와 삼각형의 닮음을 상황에 맞게 적용할 수 있는 능력을 평가한다. ● 벡터는 크기와 방향을 갖는 양을 표현하는 도구이다. 벡터를 다양한 방법으로 다룸으로써 도형을 식으로 표현하고 이해할 수 있다. 벡터의 길이와 내적과의 관계, 두 벡터의 수직 조건을 이용하여 문제를 해결할 수 있는 능력을 평가한다.

기출 연도	출제 의도
2023학년도 수시 논술 (자연 Ⅰ)	● 주어진 **상황**을 이해하고 관심있는 조건의 가능한 모든 **경우의 수**를 논리적으로 계산하는 문제이다. 특히, **반복 시행**으로 구성되어 있으나 그 이전 시행에 의해서 그 다음 시행이 영향을 받는 게임을 묘사하고 있다. 조건에 맞는 경우들을 구분하고 관련된 각 경우의 수는 **곱의 법칙**을 통하여 계산할 수 있다. ● **함수의 곱**과 **합성함수의 미분**을 계산할 수 있는지를 평가한다. 미분을 이용하여 함수의 접선을 구할 수 있는지를 알아보고자 하였다. 또한 **주기함수의 성질**을 이해하고 있는지를 평가한다. 함수의 정의로부터 **정적분**을 계산할 때 어떻게 적분구간을 분리하여 계산을 해야하는지를 이해하고 있는지와 **치환적분법** 등을 이용해 정적분 계산을 적절하게 수행할 수 있는지도 평가한다. ● 주어진 **곡선의 접선 방정식**과 주어진 **수열의 합**을 계산할 수 있는지 평가한다. 또한 주어진 **함수의 그래프를 이해**하고 **정적분의 계산**을 수행하는지도 알아보고자 하였다.
2023학년도 수시 논술 (자연 Ⅱ)	● 도로의 경로와 관련된 **경우의 수**를 계산하는 능력을 평가하고자 한다. 특히, 주어진 제약 조건(비용과 소요 시간)에 적합한 경로를 먼저 추출하고 각 경우의 수를 '**조합**'의 **개념**을 사용하여 계산할 수 있는지를 평가한다. ● **정적분**을 계산할 때 정적분의 구간을 나누어 계산을 할 수 있는지를 평가한다. **삼각함수의 성질을 이용해 식을 정리**하고 **부분적분**을 이용해 정적분을 계산하는 과정을 이해하고 있는지를 평가한다. 두 점 사이의 거리에 대한 함수를 찾고 **미분을 이용해 최솟값**을 찾는 과정을 이해하고 있는지를 평가한다. **정적분을 이용해 곡선의 길이**를 구할 수 있는지와 이때 정적분에 대한 계산을 수행할 수 있는지도 평가한다. ● 곡선의 그래프를 이해하여 함수를 구한다. 미분을 이용하여 **함수의 최댓값**을 구할 수 있는지 평가한다. 또한 **음함수 미분법**을 이용하여 주어진 미분값을 구하고 **극댓값의 성질을 이용해 최댓값**을 구할 수 있는지도 알아보려고 했다.
2023학년도 모의 논술	● **로그의 성질**과 **삼차방정식 및 부등식**을 활용하여 문제에 해당하는 경우를 정확하게 찾아낼 수 있는지를 평가한다. 특히 주어진 **상황에서 로그값이 가질 수 있는 범위**를 정확하게 계산하여 문제 상황에 맞는 순서쌍을 찾아내어야 한다. ● 수열의 가장 간단하지만 중요한 예인 **등차수열**에 대하여 등차수열의 일반항과 합 사이의 관계를 이해하고 있는지를 평가한다. 그리고 **급수의 합**을 계산할 수 있는지를 종합적으로 평가한

기출 연도	출제 의도
	다. 구체적으로 **로그의 성질**을 이용하여 급수를 적절히 분해하여 간단한 형태로 변형을 할 수 있는지와 부분합과 급수의 합 사이의 관계를 이용하여 급수의 합을 계산할 수 있는지를 평가한다. 또한 **등비급수의 성질**을 알고 합을 계산할 수 있는지를 묻는다. **치환 적분** 계산을 수행하기 위해 적절한 함수의 선택을 할 수 있는지를 평가한다. 그리고 이를 위해 **삼각함수의 성질을 이용하여 적분**을 하는 함수를 변형할 수 있는지를 평가한다.
	● 접선의 방정식을 구하고 주어진 점을 대입하여 두 접점을 구하고, 구간 $[\alpha, \beta]$에서 주어진 함수를 적분할 수 있는지 평가한다. 적분은 $\ln x$적분과 부분적분을 이용하여 적절한 계산을 수행하는지 평가한다. 그리고 **원 밖의 점에서 원에 그은 두 접선과 원으로 둘러싸인 부분의 넓이**를 구할 수 있는지 평가한다. 이때, 넓이가 원의 중심과의 거리에 의해서 결정됨을 알아낸다. **합성함수의 미분법**을 이용하여 $S'(t)$을 구하고, 3차 방정식을 풀어서 $S'(a)=0$을 만족시키는 a를 구한다.
2022학년도 수시 논술 (자연 Ⅰ)	● 주어진 상황에서 가능한 모든 **경우의 수**를 논리적으로 사고하여 정확하게 계산하는 문제이다. 문제에서는 여러 조건 하에서 등번호와 의자번호를 매칭하는 경우의 수를 계산할 수 있는가를 평가한다. 이 과정 중에서 경우의 수, **순열** 개념이 사용된다. 본 문제는 경우의 수의 개념 및 순열의 의미 및 순열의 수 계산능력을 평가한다.
	● **함수의 방정식**으로부터 주어진 **함수의 정의역**을 찾을 수 있는지를 평가한다. **곡선의 길이를 미분과 적분을 이용하여 정적분**으로 표현할 수 있는지, 그리고 표현한 정적분을 계산할 수 있는지를 평가한다. 좌표평면에서 운동하는 점의 좌표를 **평면벡터의 내적**과 **타원의 방정식**을 이용하여 (시간)변수로 매개화된 함수로 적절하게 표현할 수 있는지를 평가한다. 그리고 **도함수를 활용하여 함수의 극솟값과 극댓값**을 찾고 이를 이용하여 **함수의 최댓값**을 구하는 과정을 이해하는지를 평가한다
	● 닫힌 구간에서 정의된 **연속함수가 최댓값, 최솟값**을 가짐을 알고 **미분과 이차방정식**을 이용하여 **최댓값, 최솟값**을 구할 수 있는지 평가한다. 주어진 $f(x)$에 대한 이차방정식을 완전제곱식으로 풀어서 $f(x)$를 구하고, 주어진 **정적분을 치환, 부분적분** 등을 이용하여 구할 수 있는지 평가한다.
2022학년도 수시 논술 (자연 Ⅱ)	● **경우의 수**는 논리적 사고에 의하여 다양한 방법으로 계산할 수 있으며 이는 다양한 문제에서 활용될 수 있다. 문제에서는 도형과 연관하여 경우의 수를 계산하는 능력을 평가하고자 하며, 이

기출 연도	출제 의도
	를 위하여 '조합'의 개념을 사용할 수 있는지를 평가한다. 문제는 **경우의 수에 대한 계산능력** 및 **조합 개념**의 이해도를 알아보고자 하였다.
	● **도함수**를 이용하여 **3차 함수의 그래프의 개형**을 파악하고, 함수의 그래프와 방정식의 해 사이를 이용해 **방정식의 해의 개수**를 알아낼 수 있는지를 평가한다. 삼각함수의 중요한 성질인 **덧셈정리**를 이해하고 상황에 맞게 적용할 수 있는지를 평가한다. **미분과 정적분의 관계**를 이해하는 것이 미적분의 핵심인데 이를 잘 이해하고 있는지를 묻는 문제이다. 덧붙여 **삼각함수의 합 공식**을 이용해 **연립방정식**을 풀 수 있는지도 평가한다.
	● 주어진 영역을 알아내고 **원과 삼각형의 성질**을 이용하여 **넓이**를 계산하고, 주어진 **정적분**을 구할 수 있는지 평가한다. **벡터의 내적**을 잘 이해하고 있는지 확인한다. **곡선의 접선** 중 원점을 지나는 접선을 구하고 그 중 **기울기가 큰 것을 선별**할 수 있는지 평가한다.
2022학년도 모의 논술	● 문제는 두 가지의 새로운 주사위에서 나올 수 있는 다양한 상황을 이해하고, **원과 직선의 위치 관계**에 대한 성질을 이용하여 구하고자 하는 경우의 **순서쌍**을 정확하게 찾아낼 수 있는 지를 평가한다.
	● **치환적분** 계산을 수행하기 위해 적절한 함수의 선택을 할 수 있는지 그리고 이를 위해 **삼각함수의 성질을 이용하여 적분**을 하는 함수를 변형할 수 있는지를 평가한다. 미적분학에서 다룬 **속력과 이동거리의 관계**를 이용하여 주어진 상황을 제시문에 따라 이해하여 문제를 파악하는 능력을 갖추었는지 평가한다. 또한 **도함수**를 이용하여 **함수의 최댓값**을 구하는 과정을 이해하는지와 미분과 적분 계산을 수행하는 능력을 갖추었는지 평가한다.
	● 함수의 **역함수**에 대한 개념을 정확히 이해하고 **미분과 이차함수의 판별식**을 활용하여 문제를 해결할 수 있는지 평가한다. 미적분의 기본 개념인 **접선의 방정식** 및 **두 곡선 사이의 넓이**를 **이차방정식의 근과 계수의 관계**를 활용하여 계산할 수 있는 종합적인 사고 능력 갖추었는지 평가한다.
2021학년도 수시 논술 (자연 I)	● 다양한 상황에서 발생하는 **사건**과 이와 관련된 **확률의 개념**은 논리적 사고 및 의사결정에서 중요한 부분이다. 문제에서의 어떤 회사의 의사결정 상황을 확률과 연관 지었으며, 두 가지 상황에 대한 확률을 **확률의 덧셈정리**를 사용하여 계산할 수 있는가를 평가한다. 이 과정 중에서 **사건의 독립 및 종속**의 개념이 사용된다.

기출 연도	출제 의도
	● **정적분**을 이용하여 함수의 **그래프와** x**축** 사이의 **넓이**를 구하는 과정을 이해하는지 평가한다. 또한 **합성함수의 미분법**을 적용하여 복잡한 함수를 미분하는 방법을 이해하고 있는 지도 평가한다. **도함수**를 활용하여 **함수의 극솟값과 극댓값**을 찾고 이를 이용하여 주어진 닫힌구간에서 **함수의 최댓값과 최솟값**을 구하는 과정을 이해하는 지를 평가한다.
	● 주어진 **정적분**을 **부분적분, 치환적분**을 이용하여 계산하는 것은 중요한 개념이다. 이 문제에서는 주어진 정적분의 형태를 파악한 후, 부분적분을 두 번 사용하여 주어진 정적분 값을 구할 수 있는지와, **삼각함수의 미분과 적분**을 구할 수 있는지 평가하는 문제이다. 주어진 상황을 수식으로 표현한 후 **음함수 미분과 합성함수 미분**을 이용하여 속도를 구하는 문제이다. Q
2021학년도 수시 논술 (자연 II)	● **경우의 수**는 논리적 사고에 의하여 다양한 방법으로 계산할 수 있으며 이는 확률 계산에서 중요한 도구가 된다. 문제에서는 경우의 수를 계산하기 위하여 '**같은 것이 있는 순열**'의 개념을 사용할 수 있는지와 이를 이용하여 확률과 연관시킬 수 있는 능력을 평가한다.
	● **정적분과 급수**와의 관계를 이해하고 있는지를 평가한다. **분수와 곱의 형태의 수열의 극한**을 계산하는 과정을 이해하고 있는지 평가한다. **함수의 기본적인 성질**을 이용하여 함수의 관계를 이해하는 과정을 평가한다. **함수의 정적분을 치환 적분**을 이용해 계산할 수 있는지를 평가한다.
	● 좌표평면에서 매개 변수로 표현된 **점의 속도**를 구하고 이를 이용하여 **속력**을 구한다. 그리고 주어진 구간에서 **정적분**을 하여 이동한 거리를 계산할 수 있는지 평가한다. **삼각형의 넓이**를 $\tan\theta$에 **의해서 표현된** 식으로 나타내고, 이 함수를 이용하여 최댓값을 구한다. 이때, **함수의 극대점을 미분**을 이용하여 찾아내고 이 점에서 **최댓값**을 갖는다는 것을 보일 수 있는지 평가한다.
2021학년도 수시 논술 (자연 III)	● 주어진 상황에서 **확률변수가** 가지는 값을 이해하고 관련된 확률을 이끌어 내기 위한 능력은 중요하다. 특히, 반복된 실험에서 동일한 확률 구조를 가지지 않는 경우 확률 계산에서 이해력이 요구된다. 확률변수의 **기댓값**은 확률변수의 성질을 파악하기 위한 중요한 값이다. 문제에서는 **이산확률변수** 및 그 확률분포를 이용하여 기댓값을 계산하는 능력을 평가한다.
	● **원의 방정식**을 이용하여 그래프를 그릴 수 있는지 평가한다. **미분**을 활용하여 접선의 방정식을 구하는 과정을 묻는다. **탄젠트**

기출 연도	출제 의도
	함수의 **덧셈정리**를 이용하여 직선이 이루는 각을 구할 수 있는 지를 평가한다. **삼각형의 각도와 변 사이의 관계식**을 삼각함수를 이용해 표현할 수 있는지를 묻는다. **미분을 활용**해서 함수의 **최댓값과 최솟값**을 구할 수 있는지 평가한다.
	● 좌표평면에서 **두 곡선의 위치관계를 파악**하고 교점을 구할 수 있는지 평가한다. 또한, 두 곡선 사이의 넓이를 적분법을 활용하여 구할 수 있는지 평가하는 문제이다. **등차수열의 곱으로 표현된 급수**를 잘 구할 수 있는지 평가한다. 그리고 급수의 합을 통해 구해진 n에 대한 **3차 방정식의 최솟값**을 그래프의 개형, 특히 극솟값을 통해 구할 수 있는지 평가한다.
2021학년도 모의 논술	● 다양한 상황에서 발생하는 **확률적 사건**과 이와 관련된 **확률분포로부터 확률**을 계산하는 과정은 논리적 사고 및 의사결정에서 중요한 부분이다. 문제는 보물섬에 다녀온 철수가 중앙나라에서 특수그룹으로 분류되었을 때, 보물을 가지고 있을 확률을 계산해 나가는 과정을 통해, 확률 분포 및 확률에 대한 전반적인 이해도를 평가한다.
	● 미적분에서 다루어지는 **치환적분법**을 이용하여 적분을 계산할 수 있는지, 그리고 **부정적분과 정적분 사이의 관계**를 이용하여 정적분을 계산할 수 있는지를 평가하는 문제이다. 제시문을 통해 어떤 치환이 적절한지 추측을 하고 계산을 위해 함수를 변형할 수 있는지를 평가한다. 수학에서 다루는 **삼각함수의 성질**을 이용하여 **새로운 항등식을 유도**할 수 있는지와 이렇게 유도된 **방정식과의 연립방정식을 풀어 원하는 함수를 얻는 과정**을 평가한다. 또한 **도함수를 이용하여 접선의 방정식을 구하는 과정**을 이해하고 있는지와 미적분에서 다루는 **여러 가지 미분법**을 이용하여 구체적인 함수의 도함수를 계산할 수 있는지도 평가한다.
	● 도형의 방정식 중 가장 기본이 되는 **직선과 원의 특성**을 잘 이해하고, **점과 직선 사이의 거리**에 대한 공식을 심도 있게 활용할 수 있는지 평가한다. 직선과 원의 특성에 대한 이해도, **미분의 개념을 활용**하여 함수의 **극값 또는 최댓값, 최솟값**을 구할 수 있는 능력, 극한값의 계산 등을 종합적으로 평가한다.
2020학년도 수시 논술 (자연 Ⅰ)	● 다양한 상황에서 발생하는 확률적 사건과 이와 관련된 확률의 개념은 논리적 사고 및 의사결정에서 중요한 부분이다. 문제는 임의로 설정된 상황에서 얻을 수 있는 **경우의 수**와 그에 따른 **확률** 구조에 대한 이해도를 평가하고, 각 상황에서의 확률에 대한 비교가 정확하게 이루어지는 지를 평가한다.

기출 연도	출제 의도
	● 로그적분을 포함한 치환 적분을 이해하고 있는지 평가한다. 적분을 통해 나온 함수의 **최댓값**을 미분을 이용하여 구하는 과정을 이해하고 있는지 평가한다. 함수의 극한을 이해하고 있는지 평가한다. 이를 통해 나온 **이차 곡선의 최댓값, 최솟값**을 미분을 이용하여 구하는 과정을 이해하고 있는지 평가한다.
	● 좌표평면에서 두 곡선의 위치관계를 식으로 표현하고 **도함수의** 개념을 활용하여 주어진 조건을 만족하게 하는 값을 구할 수 있는지와, **두 곡선 사이의 넓이를 적분법**을 활용하여 구할 수 있는지 평가하는 문제이다. 좌표공간에서 식으로 주어진 정보들을 이용해 구체적인 **좌표와 입체의 부피**를 계산할 수 있는지를 평가하고, **입체의 부피가 최소가 되는 점을 도함수를 활용해 계산**할 수 있는지를 평가하는 문제이다. 그 과정에서 다항식의 인수분해 능력도 같이 평가한다.
2020학년도 수시 논술 (자연 Ⅱ)	● 다양한 상황에서 발생하는 확률적 사건과 이와 관련된 확률의 개념은 논리적 사고 및 의사결정에서 중요한 부분이다. 문제는 임의로 설정된 상황에서 얻을 수 있는 **경우의 수**와 그에 따른 **확률 구조**에 대한 이해도를 평가하고, 각 상황에서의 확률에 대한 계산이 정확하게 이루어지는 지를 평가한다.
2020학년도 수시 논술 (자연 Ⅱ)	● 주어진 적분을 **부분적분을 이용**하여 계산하고, **삼차방정식과 음함수 미분을 이용**하여 **적분값**을 구할 수 있는지 평가한다. 정적분의 부분적분을 통해서 적분을 하고 그 결과로 나온 **삼차방정식의 근과 관련된 여러 값들을 구하는 과정**을 이해하고 있는지 평가한다. 부분적분을 이용하여 주어진 적분을 계산하고, 얻어진 **방정식에 항등식을 적용하여 삼차함수**를 구할 수 있는지 평가한다. 사인, 코사인 함수의 미분, 적분을 잘 수행하여 식을 잘 정리하여 원하는 삼차함수를 구할 수 있는지 평가한다.
	● **등차수열**의 개념을 이용해 다양한 관계들로 주어진 두 수열을 거꾸로 찾을 수 있는지를 평가한다. 그 과정에서 **항등식의 성질, 여러 가지 수열의 합 공식과 이차방정식의 인수분해** 혹은 근의 공식과 같은 요소들을 자유롭게 사용할 수 있는지도 같이 평가한다. 주어진 조건을 정확히 이해하여 식으로 나타낼 수 있는지, 점의 좌표를 정확히 계산할 수 있는지, 그리고 **매개변수**로 나타낸 **함수를 미분**하여 곡선 위의 한 점에서의 **접선의 기울기**를 구할 수 있는지 평가한다.
2020학년도 모의 논술	● 다양한 상황에서 발생하는 확률적 사건과 이와 관련된 **확률 및 기댓값의 개념**은 논리적 사고 및 의사결정에서 중요한 부분이다. 문제는 2단계로 구성된 게임에서 발생하는 경우의 수와 그

기출 연도	출제 의도
	에 따른 **각기 다른 확률 구조에 대한 이해도**를 평가하고, 각 상황에서의 최종 점수의 기댓값의 계산이 정확하게 이루어지는지를 평가한다.
	● **합성함수의 의미**를 이해하고 이것을 계산할 수 있는지와 **항등식의 의미**를 알고 이를 구체적 상황에 적용할 수 있는지 평가하는 문제이다. 연립방정식을 풀어 a와 b의 관계를 유도하고, **이차함수의 최대 최소를 통해 최대**가 되는 b를 찾을 수 있는지를 평가한다. **치환적분법, 부분적분법**을 통해 적분을 계산할 수 있는지, 그리고 적분으로 주어져 있는 함수가 언제 **극값**을 갖는지 찾을 수 있는지, 그리고 그 **함숫값들의 합을 등비급수의 합**을 이용해 계산할 수 있는지 평가하는 문제이다. 그 과정에서 **사인함수, 코사인 함수, 로그함수의 성질**을 이해하고 있는지도 평가한다.
	● 이차곡선의 가장 기본적인 형태인 **원과 포물선의 정의**를 알고 해석기하학적인 방식으로 접근할 수 있으며, **도형의 넓이를 정적분의 개념을 활용**하여 나타낼 수 있으며, **미분의 개념을 활용하여 함수의 극값 또는 최댓값, 최솟값**을 구할 수 있는지 측정하고자 하였다. 탄젠트와 미분계수의 기하학적 의미가 접선의 기울기임을 알고, **탄젠트함수의 성질**을 사용하여 두 직선 사이의 각을 구할 수 있으며, 두 직선이 직교하는 조건을 기울기를 통하여 이해하고 있는지 측정하고자 하였다.

III. 논술이란?

1. 논술이란?

1) 논술이란?

어떤 문제에 대해 자기 나름의 주장이나 견해를 내세운 다음, 여러 가지 근거를 제시하여 그 주장이나 견해가 옳음을 증명하는 글쓰기 활동을 말한다. 따라서 논술의 가장 기본적인 요소는 주장과 근거이다. 다시 말해 어떤 주제에 관해서 자신의 견해를 밝히고 자기 의견을 내세우는 글이 바로 논술이다. 때문에 논술은 특별히 논리적이어야 한다는 요구를 받게 된다. 왜냐하면 여러 가지 의견이 있을 수 있는 문제에 대해 자신의 의견을 세워 다른 사람을 설득하려면, 그 주장이 충분한 근거 위에서 논리적으로 개진될 때만 가능하기 때문이다.

2) 대한민국 논술고사는?

한국에서의 대학 입시 논술고사는 실제 교과 과정과 교과서가 기본이 되어 응용된 사고와 풀이 능력과 지식을 바탕으로 한다. 논술고사는 일반적을 비판적으로 글을 읽는 능력과 창의적으로 문제를 설정하고 해결하는 능력 그리고 논리적으로 서술하는 능력을 종합적으로 평가하는 시험이다. 비판적으로 글을 읽는다는 것은 능동적으로 자신의 관점에서 글을 읽는 것을 말하며, 창의적으로 문제를 설정하고 해결하는 능력이란 심층적이고 다각적으로 논제에 접근함으로써 독창적인 사고와 풀이를 이끌어낼 수 있는 능력을 말한다. 그리고 논리적 서술 능력은 글 구성 능력, 근거 설정 능력, 표현 능력 등을 포괄한다.

3) 자연계 논술? 그리고 그 변화

모든 글은 일반적으로 3가지 종류로 나뉘어진다. 시, 소설 등 문학 작품과 같은 글쓰기인 창작적 글쓰기(creative writing)와 설명문이나 해설문의 글쓰기는 해명적 글쓰기(expository writing), 그리고 논설문의 글쓰기인 비판적 글쓰기(critical writing)가 있다. 이 글쓰기 중 대한민국의 대학입시에서 시행되고 있는 자연계 논술은 창작적 글쓰기는 포함되지 않는다. 새로운 문학 작품을 쓰는게 아니라 제시문을 읽고 내용을 구체화시켜 잘 설명하는 설명문의 형태가 있고, 주어진 문제에 대해 생각하고 깊이있는 주장을 피력하는 비판적 글쓰기도 있다.

2. 논술의 기본 용어

1) 논제 : 논술의 문제를 의미한다.
반드시 해결하고 접근하여야 할 논술 시험의 대상이다.
    (16) 중심 논제 : 채점할 때 가장 배점이 높으며, 핵심적으로 해결해야 할 논술의 문제
    (17) 세부 논제 : 큰 논제 속에 포함된 작은 문제, 각 단계별 채점의 기준이 되며 세부 채점 항목으로 필수 해결 항목이다.
2) 논거 : 논술에서 설명하고 주장하는 논리적인 근거 혹은 이유

3) 주장 : 수험생이 생각하고 채점자에게 알리고 싶은 생각

4) 제시문 : 보기 지문을 말한다.

　　(18) 출제자가 논제 해결을 위해 보여주는 다양한 글

　　(19) 각종 그래프, 도표, 그림 등

　　자료가 정해져 있지는 않다. 하지만 고등학교 교과서를 가장 많이 인용하고, 고등학교 교과 과정으로 분석하고 판단할 수 있는 내용을 제시한다.

5) 개요 : 논제에 맞게 더 구체적으로는 세부 논제에 맞게 글의 진행 방향을 간략하게 정리하는 과정이다.

3. 논술의 명령어

논술고사 후 대학의 발표 자료를 보면 논술은 출제자의 의도에 부합하게 글을 써야 한다고 강조한다. 그런데 출제자의 의도를 파악하는 것은 자칫 상당히 모호하고 주관적인 것으로 판단하기 쉽다.

하지만 자연계 논술에서는 명령어가 한정되어 있다. 그 명령어들을 잘 익히고 의미를 파악한다면 훨씬 논술의 이해가 높아질 것이다. 또한 대학의 채점 기준에는 명령어의 요구 조건을 충족하는지를 평가한다. 그러므로 자연계 논술의 명령어는 수험생에게는 아주 기초적이지만 필수적이며 절대 잊지 말아야 할 중요한 핵심이다.

1) ~ 에 대해 논술하시오.

　; 주장을 밝히고 근거를 제시한다.

2) ~ 에 대해 설명하시오.

　: 사실, 주장 등을 쉽게 풀어서 밝힌다.

> ● ~ 제시문 간의 관련성을 설명하시오.
> ● ~ 제시문의 논리적 타당성과 문제점을 설명하시오.
> ● ~ 제시문을 참고하여 주어진 자료의 특징을 설명하시오.
> ● ~ 제시문의 관점에서 왜 그런 현상이 생기는지 그 이유를 설명하시오.

3) ~ 의 비교하시오. 혹은 대조하시오.

　: 공통점과 차이점을 중심으로 설명한다.

> ● ~ 공통점과 차이점을 설명하시오.

4) ~ 을 분석하시오.

　: 주제를 구성요소로 나누고 각 부분의 의미와 상호관계를 밝힌다.

5) ~ 제시문과 주어진 자료를 참고하여 현상을 예측해 보시오.

　: 주어진 자료를 해석하고 자료로부터 얻을 수 있는 시간에 따른 변화나 자료의 발생 이유를 살핀다.

6) ~ 제시문의 문제점을 지적하고 그 문제점을 해결할 방법을 제시하시오.

　: 보통은 수학이나 과학의 역사에서 발생했던 여러 오류나 실험과정에서 나타난

문제점을 가지고 있다. 또한 이론이나 실험, 학생의 실험보고서 등과 같이 확실한 오류가 있는 제시문을 주기도 한다. 분명히 문제점을 파악하여 답안에 서술하고 문제점이나 해결할 수 있는 방법 등을 명확히 하여야 한다.

> ● ~ 제시문의 관점에서 왜 그런 현상이 생기는지 그 원리를 설명하고 그런 현상을 예방할 수 있는 방안을 제시하시오.
> ● ~ 문제점을 지적하고 합리적 대안을 제안해 보시오.
> ● ~ 주어진 관점을 검증할 수 있는 방법을 논하시오.
> ● ~ 주어진 문제점을 해결할 수 있는 실험을 설계해 보시오.

7) 제시문의 관점에서 주장을 비판하시오.

: 어떤 주장의 타당성이나 가치 등을 평가한다.

4. 자연계 논술 글쓰기 유의사항

① 논제의 해결이 핵심이다. 출제자가 원하는 답을 써야 한다.

② 논제에 부합하는 글을 일관성 있게 써야 한다.

③ 한편의 글을 완성하여야 한다. 나열하거나 사례를 보여주는 것은 의미가 없다.

④ 제시문을 활용, 인용하는 것과 제시문을 그대로 옮겨 쓰는 것은 다르다. 적절하게 제시문의 내용을 사용하여 논제를 해결하여야 한다. 절대 제시문의 문장을 그대로 쓰면 안 된다. 금기사항이고 감점요인이다.

⑤ 부적절한 문장 즉, 비문을 만들지 말아야 한다. 주어와 서술어가 적절하게 있어 문장의 의미를 명확히 전달하여야 한다. 주어를 생략하거나 지시어를 과도하게 사용하면 문장의 의미가 모호해 진다.

⑥ 문장은 짧고 간결하게 써야 한다. 자신의 의견을 명확히 간결하고 효과적으로 밝혀야 한다.

5. 논술 확인 사항

① 시간의 제한이 시험이다. 논술 시험은 자유롭게 글을 쓴다고 생각하고 주어진 시간을 체크하지 않는 경우가 정말 많다. 대학별로 요구하는 시간에 알맞게 답안을 구성해야 한다.

② 문단의 구성, 맞춤법, 띄어쓰기 등을 무시하면 절대 안 된다. 글쓰기의 기본은 의미의 전달 과정임으로 효율적인 연습과 준비가 되어 있어야 한다.

③ 습관적으로 물어보는 의문문, 같이 할 것을 제안하는 청유형은 사용하지 않는 것이 좋다. 문법의 오류가 아니라 격을 떨어뜨리고 글을 단조롭고 어색한 글 전개가 될 가능성이 높다.

④ 500자 미만이면 서론에 해당하는 도입과정은 과감히 생략하고 바로 논점으로 들어간다.

⑤ 한국어에는 수동태가 없다. 그러나 워낙 영어 번역하며 많이 사용하다 보니 논술

답안에도 수험생들이 자주 사용한다. 문법에 맞는 효과적인 표현이 필요하다. 학생이 수험생이 대학의 논술 고사에 응시하고 답안지에 논술 답안을 쓰는 것이다. 대학의 논술 답안지가 수험생으로부터 답안으로 쓰여지는 것이 아니다.

⑥ 많은 수험생들은 착각을 한다. 논술을 멋진 글쓰기라고 생각해 감상적이거나 비유적인 표현도 많이 사용한다. 그런데 오히려 이러한 표현은 채점자가 수험생의 사고 능력 파악이 힘들어지고, 오히려 논제 해결을 했는지 판단하는데 혼동을 준다. 또한 일상에서 사용하는 구어체도 사용하면 안 된다. 논술은 글쓰기에서 쓰는 조금 딱딱한 문어체를 사용하는 것이다.

⑦ 아무리 강조해도 글씨의 중요성은 지나치지 않을 것이다. 채점하는 교수님들의 한결같은 큰 애로점은 이해할 수 없는 학생의 글씨라고 한다. 글씨체를 갑자기 바꿀 수 없지만 타인이 알 수 있게 규칙적으로 줄을 맞춰 쓰고, 분량에 맞는 큰 글씨로, 흘려 쓰지 않는 정자체로 답안을 작성하여야 한다.

Ⅳ. 자연계 논술 실전

1. 각 대학별 논술 유의사항을 파악하라!

많은 대학에서 글자수 제한을 확인하여야 한다. 그래서 원고지 형이 많지만, 문항별 칸을 만들거나 밑줄 답안 형식도 있다. 논술 시험 시간은 각 대학별로 다양하다. 60분 즉, 한 시간을 시작으로 많게는 2시간까지 (120분)까지 다양하게 있다. 대학별로 준비해야 하는 중요한 이유이다. 답안을 작성하는 필기구도 다양하다. 연필(샤프펜)의 사용이 꾸준히 증가하지만 아직까지 검정색 볼펜이나 청색 볼펜으로 사용하는 학교도 많다. 주의할 것은 수정법이다. 수정은 학교에 따라 수정액, 수정테이프의 사용을 제한하는 경우도 있고 틀리면 두줄을 긋고 써야 하는 곳도 있다. 그러므로 각 대학별 특징을 파악하고, 미리 답안 작성 연습은 물론이고 작성할 때도 대학별로 금지하는 내용을 숙지하고 시험장에 가야 한다.

각 대학별 유의사항 사례

사례 1)

가. 답안은 한글로 작성하되, 글자수 제한은 없다.

나. 제목은 쓰지 말고 특별한 표시를 하지 말아야 한다.

다. 제시문 속의 문장을 그대로 쓰지 말아야 한다.

라. 반드시 본 대학교에서 지급한 필기구를 사용하여야 한다.

마. 수정할 부분이 있는 경우 수정도구를 사용하지 말고 원고지 교정법에 의하여 교정하여야 한다.

바. 본 대학교에서 지급한 필기구를 사용하지 않거나, 수정도구를 사용한 경우, 답안지에 특별한 표시를 한 경우, 또는 원고지의 일정분량 이상을 작성하지 않은 경우에는 감점 또는 0점 처리한다.

사례 2)

Ⅰ. 필요한 경우 한 개 또는 여러 개의 제시문을 선택하여 논의를 전개하고, 사용한 제시문은 꼭 참고문헌 형태로 표시하시오.

　　예) …[제시문 1-4].

　　예) …되며[제시문 2-4], …의 경우는 ~을 보여준다[제시문 2-1].

Ⅱ. [문제 1]부터 [문제 4]까지 문제 번호를 쓰고 순서대로 답하시오.

Ⅲ. 연필을 사용하지 말고, 흑색이나 청색 필기구를 사용하시오.

Ⅳ. 인적사항과 관련된 표현을 일절 쓰지 마시오.

Ⅴ. 문제당 배점은 동일함.

사례 3)

◇ 각 문제의 답안은 배부된 OMR 답안지에 표시된 문제지 번호에 맞춰 작성하시오.

◇ 각 문제마다 정해진 글자수(분량)는 띄어쓰기를 포함한 것이며, 정해진 분량에 미달하

거나 초과하면 감점 요인이 됩니다.
 ◇ 답안지의 수험번호는 반드시 컴퓨터용 수성 사인펜으로 표기하시오.
 ◇ 답안은 검정색 필기구로 작성하시오. (연필 사용 가능)
 ◇ 답안 수정시 원고지 교정법을 활용하시오. (수정 테이프 또는 연필지우개 사용 가능)
◇ 답안 내용 및 답안지 여백에는 성명, 수험번호 등 개인 신상과 관련된 어떤 내용, 불필
요한 기표하면 감점 처리됩니다.

사례 4)
 ◆ 답안 작성 시 유의사항 ◆
 □ 논술고사 시간은 90분이며, 답안의 자수 제한은 없습니다.
 □ 1번 문항의 답은 답안지 1면에 작성해야 하고, 2번 문항의 답은 답안지 2면에
작성해야 합니다. 1, 2번을 바꾸어 작성하는 경우 모두 '0점 처리'됩니다.
 □ 연습지는 별도로 제공하지 않습니다. 필요한 경우 문제지의 여백을 이용하시기
바랍니다.
 □ 답안은 검정색 또는 파란색 펜으로만 작성하며 연필, 샤프는 사용할 수 없습니다.
 □ 답안 수정은 수정할 부분에 두 줄로 긋거나 수정테이프(수정액은 사용 불가)를
사용해서 수정합니다.
 □ 답안지에는 답 이외에 아무 표시도 해서는 안 됩니다.
 □ 답안지 교체는 고사 시작 후 70분까지 가능하며, 그 이후는 교체가 불가합니다.

2. 제시문에 먼저 눈을 두지 말고 문제를 파악하라!!!

대학별 고사인 논술의 어려운 점은 시간의 제한이 있는 글쓰기 시험이라는 것이다.
자유롭게 잘 쓸 수 있는 내용일지라도 시간의 제한이 있으면 얘기가 달라진다. 특히
지금과 같이 각 대학별로 다양하게 등장하는 시험에 익숙하지 않은 수험생에게는 더
큰 부담으로 작용을 한다.

대학에서는 다양하게 제시문과 문제를 분포시킨다. 문제를 등장시키고 제시문이 등장
하는 경우, 그림과 도표, 그래프 등과 같이 자료를 제시하고 제시문과 문제를 함께 등
장시키는 경우, 제시문을 많이 등장시키고 마지막에 문제를 제시하는 경우 등... 이렇
듯 다양한 문제에 시간의 적절한 활용은 대학별 고사의 실전에서는 당락을 결정하는
중요 요소이다.

이러한 실전적 논술에서 핵심은 바로 목적을 가지고 제시문의 읽기가 선행되어야 한
다. 글 읽기의 핵심은 문제을 통해 논제를 구체적으로 파악하고 그 논제에 부합하게
제시문을 분석하는 것이다.

 ① 문제를 먼저 확인하라!! - 제시문을 읽고 문제를 보면 다시 긴 제시문을 또 읽어 시간
을 낭비한다.
 ② 세부 논제 확인하라!! - 한 문제라도 그 문제 속에 다루는 논제는 여러 개가 될 수 있

다. 그 질문 내용을 파악하라. 그리고 요구한 논제에 맞게 글을 구성한다.
 ③ 전제적 요건 파악하라!! - 각 문제의 전제적 요건 및 글로 표현된 부연 설명 등이 중요한 키워드가 될 수 있다.

V. 중앙대학교 기출

1. 2024학년도 중앙대 수시 논술 [자연 Ⅰ]

[문제 1] 다음 규칙에 따라 점수를 얻는 시행을 한다.

● 밑면의 반지름의 길이가 5이고 높이가 10인 원뿔이 있다.

● 주머니 A에는 1, 2, 3의 숫자가 하나씩 적혀 있는 3개의 공이 들어 있고, 주머니 B에는 1, 2의 숫자가 하나씩 적혀 있는 2개의 공이 들어 있다.

● 한 개의 주사위를 한 번 던져서 나온 눈의 수가 3의 배수이면 주머니 A에서 임의로 2개의 공을 동시에 꺼내고, 주머니 B에서 임의로 1개의 공을 꺼낸다. 3의 배수가 아니면 주머니 A에서 임의로 1개의 공을 꺼내고, 주머니 B에서 임의로 2개의 공을 동시에 꺼낸다.

● 주머니 A와 B에서 꺼낸 공에 적힌 숫자들의 합을 k라 하자. 이때 반지름의 길이가 $k-3$이고 원뿔에 내접하는 원기둥의 부피를 점수로 한다.

● 다음은 원뿔에 내접하고, 밑면의 반지름의 길이가 r이고 높이가 h인 원기둥을 나타낸 것이다.

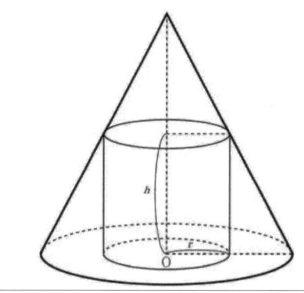

시행의 결과로 얻은 점수의 기댓값을 구하시오. [20점]

[문제 2] 다음을 읽고 문제에 답하시오.

- $a > 0$, $a \neq 1$, $N > 0$일 때, $a^x = N \Leftrightarrow x = \log_a N$이다. 그리고 $\log_a N^k = k\log_a N$이다. (단, k는 실수)

- $a > 0$, $a \neq 1$, $b > 0$, $c > 0$, $c \neq 1$일 때, $\log_a b = \dfrac{\log_c b}{\log_c a}$이다.

- 함수 $f(x)$가 닫힌구간 $[a, b]$에서 연속일 때, 다음 식이 성립한다.
$$\int_a^b f(x)dx = \lim_{n \to \infty}\sum_{k=1}^{n} f(x_k)\Delta x \quad (단, \ \Delta x = \frac{b-a}{n}, \ x_k = a + k\Delta x)$$

- $\tan(\alpha - \beta) = \dfrac{\tan\alpha - \tan\beta}{1 + \tan\alpha\tan\beta}$ (단, $\tan\alpha\tan\beta \neq -1$)

[문제 2-1] 다음 식의 값을 구하시오. [10점]
$$\sum_{k=2}^{9}\left(k^{\frac{k\ln 2}{\ln k}} - 2^{\frac{2\ln k}{\ln 2}}\right)$$

[문제 2-2] 좌표평면에서 직선 $x = 1$ 위를 움직이는 점 $A(1, y_1)$과 x축 위를 움직이는 점 $B(x_1, 0)$의 시각 t에서의 위치는 두 함수 $x_1 = f(t)$, $y_1 = g(t)$로 나타내어질 수 있다. 두 점 $A(1, g(t))$, $B(f(t), 0)$은 시각 $t = 0$일 때 $(1, 0)$에서 출발한 후, $0 < t \leq \dfrac{\pi}{4}$일 때 원점 O에 대하여 $\angle AOB = t$이고 $\angle OAB = \dfrac{2\pi}{3}$를 만족하며 움직인다고 하자. 이때, 극한값 $\displaystyle\lim_{n \to \infty}\frac{1}{n}\sum_{k=1}^{n} f\left(\frac{\pi k}{6n}\right)$를 구하시오. (단, $x_1 \geq 1$, $y_1 \geq 0$이다.) [15점]

[문제 3] 다음을 읽고 문제에 답하시오.

> ● 함수 $f(x)$가 닫힌구간 $[a, b]$에서 연속일 때, 곡선 $y = f(x)$와 x축 및 두 직선 $x = a$, $x = b$로 둘러싸인 도형의 넓이는 $S = \int_a^b |f(x)| dx$이다.
>
> ● 미분가능한 함수 $g(x)$의 도함수 $g'(x)$가 닫힌구간 $[a, b]$를 포함하는 열린구간에서 연속이고, $g(a) = \alpha$, $g(b) = \beta$에 대하여 함수 $f(x)$가 α와 β를 양끝으로 하는 닫힌구간에서 연속일 때 다음 식이 성립한다.
> $$\int_a^b f(g(x))g'(x)dx = \int_\alpha^\beta f(t)dt$$
>
> ● 미분가능한 함수 $f(x)$가 $x = a$에서 극값을 가지면 $f'(a) = 0$이다.
>
> ● $\tan(\alpha + \beta) = \dfrac{\tan\alpha + \tan\beta}{1 - \tan\alpha\tan\beta}$ (단, $\tan\alpha\tan\beta \neq 1$)

[문제 3-1] $x \geq 0$에서 정의된 곡선 $y = \dfrac{x}{x^2+1}\left(\{\ln(x^2+1)\}^2 - 6\ln(x^2+1) + 5\right)$와 x축으로 둘러싸인 도형의 넓이를 구하시오. **[10점]**

[문제 3-2] 좌표평면 위에 점 A$(-1, 0)$, B$(1, 0)$이 있다. 구간 $-1 \leq x \leq 1$에서 정의된 곡선 $y = \sqrt{x+2}$ 위 의 점 P에 대하여 $\theta = \angle$APB라 할 때, $\tan^2\theta$의 최댓값을 구하시오. **[15점]**

[문제 4] 다음을 읽고 물음에 답하시오.

- 삼각형 ABC의 외접원의 반지름의 길이를 R라 하면 $\dfrac{a}{\sin A} = \dfrac{b}{\sin B} = \dfrac{c}{\sin C} = 2R$이다.

- 삼각형 ABC에서 $a^2 = b^2 + c^2 - 2bc \cos A$이다.

- 평면 위의 한 점 F와 이 점을 지나지 않는 직선 l이 주어질 때, 점 F와 직선 l에 이르는 거리가 같은 점들의 집합을 포물선이라 한다.

- 이차방정식 $ax^2 + bx + c = 0$의 두 근을 α, β라 하면 $\alpha + \beta = -\dfrac{b}{a}$이고 $\alpha\beta = \dfrac{c}{a}$이다.

[문제 4-1] 그림과 같이 모든 모서리의 길이가 2인 정삼각기둥에서 두 선분 AC, BE의 중점을 각각 M, N이라 하고, 두 선분 MN, CN의 중점을 각각 P, Q라 하자. 삼각형 PFQ의 외접원의 반지름의 길이를 구하시오. [15점]

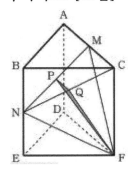

[문제 4-2] 아래의 그림과 같이 포물선 $y^2 = 4x$의 초점 F(1, 0)을 지나고 $m > 0$인 직선 $y = m(x-1)$이 서로 다른 두 점 P, Q에서 포물선과 만난다. 두 점 P, Q에서 준선 $x = -1$에 내린 수선의 발을 각각 P′, Q′이라 하자. 사각형 PP′Q′Q의 둘레의 길이가 40일 때, 이 사각형의 넓이를 구하시오. [15점]

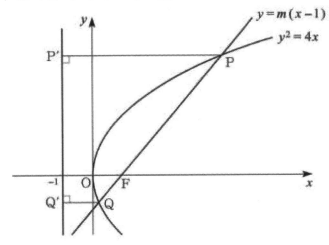

【문제 1】 이 답안 영역에는 1번 문항에 대한 답을 작성하시오.

【문제 2】 이 답안 영역에는 2번 문항에 대한 답을 작성하시오.

이 줄 아래에 답안을 작성하거나 낙서할 경우 판독이 불가능하여 채점 불가

【문제 3】 이 답안 영역에는 3번 문항에 대한 답을 작성하시오.

【문제 4】 이 답안 영역에는 4번 문항에 대한 답을 작성하시오.

답안작성란 밖에 작성된 내용은 채점 대상에서 제외

[문제 1] 좌표평면의 원점 O에 있는 점 A는 다음과 같은 규칙에 따라 이동한다.

● 주머니에 숫자 2가 적힌 공 1개와 숫자 3이 적힌 공 1개가 들어 있다.

● 주머니에서 임의로 1개의 공을 꺼낸 후 그 공에 적힌 숫자를 m이라 하자. 점 A는 $\frac{1}{m}$의 확률로 원점 O와 점 P(12, 0)을 이은 선분 OP를 $m:1$로 내분하는 점으로 이동하거나, $1-\frac{1}{m}$의 확률로 선분 OP를 $1:m$으로 외분하는 점으로 이동한다. 이때 이동한 점을 $A_1(x_1,\ 0)$이라 하고, 꺼낸 공은 다시 집어넣지 않는다.

● 주머니에 남아 있는 공에 적힌 숫자를 n이라 하자. 점 A_1은 $\frac{2}{n}$의 확률로 점 A_1과 점 $Q(x_1,\ 8)$을 이은 선분 A_1Q를 $1:n$으로 내분하는 점으로 이동하거나, $1-\frac{2}{n}$의 확률로 선분 A_1Q를 $n:1$로 외분하는 점으로 이동한다. 이때 이동한 점을 $A_2(x_1,\ y_1)$이라 한다.

두 점 $A_2(x_1,\ y_1)$, P(12, 0)사이의 거리가 $|x_1|$보다 작을 확률을 구하시오. **[20점]**

[문제 2] 다음을 읽고 문제에 답하시오.

- 함수 $f(t)$가 닫힌구간 $[a, b]$에서 연속일 때 다음 식이 성립한다.
$$\frac{d}{dx}\int_a^x f(t)dt = f(x)\,(단,\ a < x < b)$$

- 함수 $f(x)$가 $x=a$에서 미분가능하고 $x=a$에서 극값을 가지면 $f'(a)=0$이다.

- 함수 $f(x)$가 어떤 열린구간에서 미분가능할 때, 그 구간에 속하는 모든 x에 대하여 $f'(x)>0$이면 $f(x)$는 그 구간에서 증가하고, $f'(x)<0$이면 $f(x)$는 그 구간에서 감소한다.

- 좌표평면 위를 움직이는 점 $P(x, y)$의 시각 t에서의 위치가 함수 $x=f(t), y=g(t)$로 나타내어질 때, $t=a$에서 $t=b$까지 점 P가 움직인 거리는
$$s = \int_a^b \sqrt{\{f'(t)\}^2 + \{g'(t)\}^2}\,dt$$
이다.

- 미분가능한 함수 $g(x)$의 도함수 $g'(x)$가 닫힌구간 $[a, b]$를 포함하는 열린구간에서 연속이고, $g(a)=\alpha$, $g(b)=\beta$에 대하여 함수 $f(x)$가 α와 β를 양끝으로 하는 닫힌구간에서 연속일 때 다음 식이 성립한다.
$$\int_a^b f(g(x))g'(x)dx = \int_\alpha^\beta f(t)dt$$

[문제 2-1] 닫힌구간 $[-1, 5]$에서 함수
$$f(x) = \int_{-1}^x (t^2+5)\left\{1-2\sin\left(\frac{\pi t}{t^2+5}\right)\right\}dt$$
의 최댓값을 구하시오. [10점]

[문제 2-2] 좌표평면 위를 움직이는 점 P의 시각 t에서의 좌표 (x, y)가
$$x = \frac{1}{\sqrt{3}}\cos t, \quad y = \sqrt{3}\ln\left(1+\frac{\sin^2 t}{8}\right)$$
일 때, 시각 $t=0$에서 $t=\pi$까지 점 P가 움직인 거리를 구하시오. [15점]

[문제 3] 다음을 읽고 문제에 답하시오.

> ● 좌표평면에서 두 점 $A(x_1, y_1)$, $B(x_2, y_2)$사이의 거리는
> $$\overline{AB} = \sqrt{(x_1 - x_2)^2 + (y_1 - y_2)^2}$$
> 이다.
>
> ● 함수 $f(x)$가 닫힌구간 $[a, b]$에서 연속이면 함수 $f(x)$는 이 구간에서 최댓값과 최솟값을 갖는다.
>
> ● 함수 $f(x)$가 $x = a$에서 미분가능하고 $x = a$에서 극값을 가지면 $f'(a) = 0$이다.

[문제 3-1] 수열 $\{a_n\}$의 일반항이 $a_n = \int_0^{\ln(n+1)} (2e^{2x} - e^x)dx$일 때, 다음 식의 값을 구하시오. [10점]

$$\sum_{k=1}^{99} \left(\frac{1}{k} + \frac{1}{k+1} + 1 \right) \frac{1}{a_k}$$

[문제 3-2] 좌표평면 위의 세 점 $A(5, 0)$, $B(0, 5)$, $P(7\cos\theta, 7\sin\theta)$에 대하여 $\overline{AP} + \overline{BP}$의 최솟값을 m이라 할 때, m^2의 값을 구하시오. (단, $0 \le \theta \le \dfrac{\pi}{2}$이다.) [15점]

[문제 4] 다음을 읽고 문제에 답하시오.

● 타원 $\dfrac{x^2}{a^2}+\dfrac{y^2}{b^2}=1$ 에 접하고 기울기가 m인 접선의 방정식은 $y=mx\pm\sqrt{a^2m^2+b^2}$ 이다.

● 이차방정식 $ax^2+bx+c=0$의 두 근을 α, β라 하면 $\alpha+\beta=-\dfrac{b}{a}$ 이고 $\alpha\beta=\dfrac{c}{a}$ 이다.

● 평면 β위에 있는 도형의 넓이를 S, 이 도형의 평면 α 위로의 정사영의 넓이를 S' 이라 할 때, 두 평면 α, β가 이루는 각의 크기를 $\theta(0\,^\circ\leq\theta\leq90\,^\circ)$라 하면 $S'=S\cos\theta$이다.

[문제 4−1] 직선 $y=\sqrt{3}$ 위의 점 $\mathrm{P}(k,\ \sqrt{3})$에서 타원 $x^2+\dfrac{y^2}{2}=1$에 그은 두 접선이 이루는 예각이 $45\,^\circ$일 때, k^2의 값을 구하시오. [15점]

[문제 4−2] 넓이가 $6\sqrt{3}$이고 $\overline{\mathrm{AC}}=4\sqrt{3}$인 삼각형 ABC가 평면 α와 만나지 않게 놓여있다. 평면 α에 수직으로 입사하는 빛에 의한 삼각형 ABC의 그림자가 평면 α위에서 그림과 같이 정삼각형 A′B′C′을 이룬다. $\overline{\mathrm{AA'}}+\overline{\mathrm{CC'}}=2\overline{\mathrm{BB'}}=10$일 때, 삼각형 ABC의 내접원의 그림자의 넓이를 구하시오. [15점]

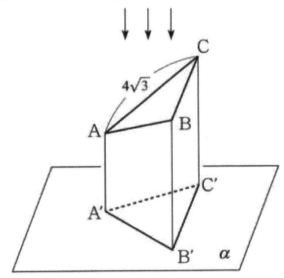

【문제 1】 이 답안 영역에는 1번 문항에 대한 답을 작성하시오.

【문제 2】 이 답안 영역에는 2번 문항에 대한 답을 작성하시오.

이 줄 아래에 답안을 작성하거나 낙서할 경우 판독이 불가능하여 채점 불가

【문제 3】 이 답안 영역에는 3번 문항에 대한 답을 작성하시오.

【문제 4】 이 답안 영역에는 4번 문항에 대한 답을 작성하시오.

답안작성란 밖에 작성된 내용은 채점 대상에서 제외

3. 2024학년도 중앙대 모의 논술

※ 다음을 읽고 물음에 답하시오.

[문제 1] 검은 공 4개와 흰 공 2개가 들어있는 주머니가 있다. 이때, 원점에 놓여있는 점 P를 다음 규칙에 따라 좌표평면 위에서 이동시키는 시행을 한다.

● 주머니에서 1개의 공을 꺼낸 후, 이 공이 검은 공일 경우 점 P를 (x, y)에서 $(2x+2, y)$로 이동시키고, 흰 공일 경우 (x, y)에서 $(x, 3y-3)$으로 이동시킨다.

● 점 P를 이동시킨 후 꺼낸 공은 다시 주머니에 넣는다.

이와 같은 시행을 4번 반복한 후, 점 P의 x좌표와 y좌표의 합의 기댓값을 구하시오.
[20점]

[문제 2] 다음을 읽고 문제에 답하시오.

● 함수 $f(x)$가 $x=a$에서 미분가능하고 $x=a$에서 극값을 가지면 $f'(a)=0$이다.
● 모든 실수 α, β에 대하여 $\sin(\alpha+\beta) = \sin\alpha\cos\beta + \cos\alpha\sin\beta$가 성립한다.
● 탄젠트 함수의 덧셈정리는 다음과 같다.
$$\tan(\alpha+\beta) = \frac{\tan\alpha + \tan\beta}{1 - \tan\alpha\tan\beta} \quad \tan(\alpha-\beta) = \frac{\tan\alpha - \tan\beta}{1 + \tan\alpha\tan\beta}$$

[문제 2-1] 닫힌구간 $[0, 2\pi]$에서 정의된 함수 $f(x) = x - 3\sin x + \sin(2x)$가 $x=a$에서 최댓값을 가질 때, $\sin a$의 값을 구하시오. [10점]

[문제 2-2] 좌표평면 위의 점 A$(0, 1)$, B$(2, 1)$과 직선 $x+y=0$ 위의 점 P에 대하여 $\angle APB = \theta$라 할 때, $\tan\theta$의 최댓값을 구하시오. (단, $0 \leq x \leq 2$이다.) [15점]

[문제 3] 다음을 읽고 문제에 답하시오.

- 미분가능한 함수 $g(x)$의 도함수 $g'(x)$가 닫힌구간 $[a, b]$를 포함하는 열린구간에서 연속이고, $g(a) = \alpha$, $g(b) = \beta$에 대하여 함수 $f(x)$가 α와 β를 양끝으로 하는 닫힌 구간에서 연속일 때 다음 식이 성립한다.

$$\int_a^b f(g(x))g'(x)dx = \int_\alpha^\beta f(t)dt$$

- 양의 실수 x, y에 대하여 $\ln(xy) = \ln x + \ln y$가 성립한다.

- 모든 자연수 n에 대하여 다음 식이 성립한다.

$$① \quad \sum_{k=1}^n k = \frac{n(n+1)}{2}$$

$$② \quad \sum_{k=1}^n k^2 = \frac{n(n+1)(2n+1)}{6}$$

- a에 가까운 모든 실수 x에 대하여 $f(x) \le h(x) \le g(x)$이고 $\lim\limits_{x \to a} f(x) = \lim\limits_{x \to a} g(x) = L$

이면 $\lim\limits_{x \to a} h(x) = L$이다. (단, L은 실수이다.)

[문제 3-1] 일반항이 $a_n = \dfrac{2^n}{n^2}$인 수열 $\{a_n\}$에 대하여 정적분 $I_n = \displaystyle\int_{\frac{1}{a_n}}^{a_n} \dfrac{1}{nx(1+x^n)}dx$의 극

한값 $\lim\limits_{n \to \infty} I_n$을 구하시오. [10점]

[문제 3-2] 함수 $f(x)$가 다음 조건을 만족한다.

(가) 모든 실수 x, y에 대하여 $f(x+y) = f(x) + f(y) + xy(x+y+1) + 1$이다.

(나) 0에 가까운 모든 실수 x에 대하여 $|f(x)+1| \le x^2$이다.

$\displaystyle\sum_{k=1}^{10} f'(k)$를 구하시오 [15점]

[문제 4] 다음을 읽고 문제에 답하시오.

- 중심이 점 $(a,\ b,\ c)$이고 반지름이 r인 구의 방정식은
$$(x-a)^2 + (y-b)^2 + (z-c)^2 = r^2$$
  이고 그 부피는 $\frac{4}{3}\pi r^3$이다. 밑면의 반지름이 s이고 높이가 h인 원뿔의 부피는 $\frac{1}{3}\pi s^2 h$이다.

- 벡터 $\vec{a}$의 크기는 $|\vec{a}|$로 나타내고 $|\vec{a}|^2 = \vec{a} \cdot \vec{a}$를 만족한다.

- 영벡터가 아닌 두 벡터 $\vec{b}$, $\vec{c}$가 수직일 조건은 $\vec{b} \cdot \vec{c} = 0$이다.

[문제 4-1] 다음 그림과 같이 xy평면에 넓이가 A인 밑면을 가지고 양의 z축에 꼭짓점을 가지는 원뿔이 방정식 $x^2 + y^2 + (z-1)^2 = 1$로 정의된 구 S에 외접한다. 점 $(0,\ 0,\ 2)$를 지나고 xy평면에 평행한 평면으로 이 원뿔을 잘라 얻은 원뿔대의 부피가 구 S의 부피의 3배이고 잘린 단면의 넓이를 B라 할 때, $\dfrac{A}{B}$를 구하시오. [15점]

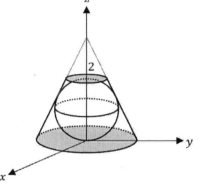

[문제 4-2] 정팔각형 ABCDEFGH에서 $|\overrightarrow{CA} - \overrightarrow{BE}| = 2$일 때, 이 정팔각형의 넓이를 구하시오. [15점]

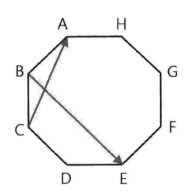

【문제 1】 이 답안 영역에는 1번 문항에 대한 답을 작성하시오.

【문제 2】 이 답안 영역에는 2번 문항에 대한 답을 작성하시오.

이 줄 아래에 답안을 작성하거나 낙서할 경우 판독이 불가능하여 채정 불가

【문제 3】 이 답안 영역에는 3번 문항에 대한 답을 작성하시오.

【문제 4】 이 답안 영역에는 4번 문항에 대한 답을 작성하시오.

답안작성란 밖에 작성된 내용은 채점 대상에서 제외

4. 2023학년도 중앙대 수시 논술 [자연 Ⅰ]

[문제 1] 세 사람 A   B   C의 이름이 각각 적힌 서로 다른 3장의 이름표가 들어 있는 상자가 있다. 다음과 같은 규칙의 게임을 고려하자.

- 라운드 : A   B   C가 상자에서 임의로 각각 한 장씩 이름표를 뽑은 다음, 자신의 이름표를 뽑은 사람을 제외하고 다른 사람의 이름표를 뽑은 사람만 이름표를 상자에 다시 넣는다.
- n 라운드 $(n \geq 2)$: 아직 자신의 이름표를 뽑지 못한 사람만 $(n-1)$ 라운드 직후의 상자에서 임의로 각각 한 장씩 이름표를 뽑는다. 이때 자신의 이름표를 뽑은 사람을 제외하고 다른 사람의 이름표를 뽑은 사람만 이름표를 상자에 다시 넣는다.
- 각 라운드 직후 상자에 남은 이름표가 없으면 게임은 종료된다.

위와 같은 규칙으로 게임이 종료되지 않고 6 라운드까지 진행된다고 할 때, 오직 한 사람만 자신의 이름표를 뽑는 경우의 수를 구하시오. (단, 각 라운드에서 이름표를 뽑는 순서는 고려하지 않는다.) [20점]

[문제 2] 다음을 읽고 문제에 답하시오.

- 두 함수 $f(x)$, $g(x)$가 미분가능할 때 $\{f(x)g(x)\}' = f'(x)g(x) + f(x)g'(x)$이다.
- 미분가능한 두 함수 $y = f(u)$, $u = g(x)$에 대하여 합성함수 $y = f(g(x))$의 도함수는 $\{f(g(x))\}' = f'(g(x))g'(x)$이다.
- 함수 $f(x)$가 임의의 세 실수 a, b, c를 포함하는 열린구간에서 연속일 때 다음 식이 성립한다.

$$\int_a^c f(x)dx + \int_c^b f(x)dx = \int_a^b f(x)dx$$

- 미분가능한 함수 $g(x)$의 도함수 $g'(x)$가 닫힌구간 $[a, b]$를 포함하는 열린구간에서 연속이고, $g(a) = \alpha$, $g(b) = \beta$에 대하여 함수 $f(x)$가 α와 β를 양끝으로 하는 닫힌 구간에서 연속일 때 다음 식이 성립한다.

$$\int_a^b f(g(x))g'(x)dx = \int_\alpha^\beta f(t)dt$$

[문제 2-1] 양의 실수 α에 대하여, 곡선

$$y = \sqrt[3]{\alpha + \frac{x}{1 \cdot 2 \cdot 3}} \cdot \sqrt[3]{\left(\alpha + \frac{x}{2 \cdot 3 \cdot 4}\right)^2} \cdot \left(\alpha + \frac{x}{3 \cdot 4 \cdot 5}\right)$$

위의 점 $(0, \alpha^2)$에서의 접선이 점 $(5, 1)$을 지난다고 할 때, α의 값을 구하시오. [10점]

[문제 2-2] 주기가 2π인 함수 $f(x)$가 모든 실수 x에 대하여

$$f(x) + 2f\left(x + \frac{\pi}{2}\right) = 15 \cdot \frac{|\sin x|}{2 + \cos x}$$

을 만족할 때, 정적분 $\int_0^\pi f(x)dx$의 값을 구하시오. [15점]

[문제 3] 다음을 읽고 문제에 답하시오.

> - 곡선 $y = f(x)$위의 점 $(\alpha, f(\alpha))$에서 접하는 접선의 방정식은
> $$y - f(\alpha) = f'(\alpha)(x - \alpha)$$
>   이다.
> - 미분가능한 두 함수 $y = f(u)$, $u = g(x)$에 대하여 합성함수 $y = f(g(x))$의 도함수는
> $\{f(g(x))\}' = f'(g(x))g'(x)$이다.
> - 미분가능한 함수 $g(x)$의 도함수 $g'(x)$가 닫힌구간 $[a, b]$를 포함하는 열린구간에서 연속이고, $g(a) = \alpha$, $g(b) = \beta$에 대하여 함수 $f(x)$가 α와 β를 양끝으로 하는 닫힌 구간에서 연속일 때 다음 식이 성립한다.
> $$\int_a^b f(g(x))g'(x)dx = \int_\alpha^\beta f(t)dt$$

[문제 3-1] $x \geq 1$에서 정의된, 좌표평면 위의 곡선 $y = \sin(\ln x)$가 있다. 좌표평면의 원점에서 곡선 $y = \sin(\ln x)$에 그은 가능한 모든 접선의 접점들을 $(a_n, \sin(\ln a_n))$으로 나타내자. 이때, x좌표가 가장 작은 접점의 x좌표가 a_1이고, 모든 자연수 n에 대하여 $a_n < a_{n+1}$이 성립한다. $\displaystyle\sum_{n=1}^{10} \frac{1}{(\ln a_n)(\ln a_{n+1})}$의 값을 구하시오. [10점]

[문제 3-2] 함수 $y = 2e^{3x} - 3ae^{2x} + 8$의 그래프가 x축과 한 점에서 만나게 하는 실수 a의 값을 a_0이라 하고, 이때 x축과의 교점을 $(x_0, 0)$이라 하자. 다음 정적분의 값을 구하시오. [15점]

$$\int_0^{x_0} \left(2e^{3x} - 3a_0 e^{2x} + 8\right)dx$$

【문제 1】 이 답안 영역에는 1번 문항에 대한 답을 작성하시오.

【문제 2】 이 답안 영역에는 2번 문항에 대한 답을 작성하시오.

이 줄 아래에 답안을 작성하거나 낙서할 경우 판독이 불가능하여 채점 불가

【문제 3】 이 답안 영역에는 3번 문항에 대한 답을 작성하시오.

【문제 4】 이 답안 영역에는 4번 문항에 대한 답을 작성하시오.

답안작성란 밖에 작성된 내용은 채점 대상에서 제외

5. 2023학년도 중앙대 수시 논술 [자연 II]

[문제 1] 다음의 그림과 같은 도로망이 있다. (i,j)좌표에서 $(i+1,j)$ 또는 $(i,j+1)$좌표로의 이동 비용은 1000원이고 소요 시간은 1시간이다. (i,j) 좌표에서 $(i+1,j+1)$ 좌표로의 이동 비용은 2400원이며 소요 시간은 30분이다. 원점 O 지점에서 출발하여 $A(4,4)$ 지점까지 도로를 따라갈 때, 9000원 이하의 비용으로 7시간 이내에 도착하기 위한 모든 경로의 수를 구하시오. (단, 왼쪽(←) 또는 아래 (↓) 방향과 왼쪽 아래로의 대각선(↙) 방향으로 이동할 수 없다.) [20점]

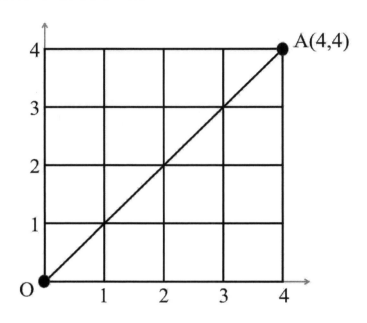

[문제 2] 다음을 읽고 문제에 답하시오.

- 함수 $f(x)$가 임의의 세 실수 a, b, c를 포함하는 열린구간에서 연속일 때 다음 식이 성립한다.

$$\int_a^c f(x)dx + \int_c^b f(x)dx = \int_a^b f(x)dx$$

- 모든 실수 x에 대하여 $\sin^2 x + \cos^2 x = 1$이 성립한다.

- 미분가능한 두 함수 $f(x)$, $g(x)$에 대하여 $f'(x)$, $g'(x)$가 닫힌구간 $[a, b]$에서 연속일 때 다음 식이 성립한다.

$$\int_a^b f(x)g'(x)dx = \left[f(x)g(x) \right]_a^b - \int_a^b f'(x)g(x)dx$$

- 미분가능한 두 함수 $y = f(u)$, $u = g(x)$에 대하여 합성함수 $y = f(g(x))$의 도함수는 $\{f(g(x))\}' = f'(g(x))g'(x)$이다.

- 미분가능한 함수 $f(x)$가 $x = a$에서 극값을 가지면 $f'(a) = 0$이다.

[문제 2-1] 다음 정적분의 값을 구하시오. [10점]

$$\int_{-\frac{\pi}{4}}^{\frac{\pi}{4}} \frac{|x|}{1 - \sin x} dx$$

[문제 2-2] 좌표평면 위의 곡선 $y = 4 \cdot \sqrt{\left(1 + \dfrac{x^2}{36}\right)^3}$ 에서 점 $P(0, 109)$에 이르는 거리가 최소인 두 점을 $A(x_1, y_1)$, $B(x_2, y_2)$라 하자. 이때, $x = x_1$에서 $x = x_2$까지의 곡선 $y = 4 \cdot \sqrt{\left(1 + \dfrac{x^2}{36}\right)^3}$ 의 길이를 구하시오. (단, $x_1 < x_2$이다.) [15점]

[문제 3] 다음을 읽고 문제에 답하시오.

- 미분가능한 함수 $f(x)$가 $x=a$에서 극값을 가지면 $f'(a)=0$이다.
- 모든 실수 x에 대하여 $\sin^2 x + \cos^2 x = 1$이 성립한다.
- 미분가능한 두 함수 $y=f(u)$, $u=g(x)$에 대하여 합성함수 $y=f(g(x))$의 도함수는 $\{f(g(x))\}' = f'(g(x))g'(x)$이다.
- x의 함수 y가 음함수의 꼴 $f(x,\ y)=0$으로 주어질 때, $f(x,\ y)=0$의 양변을 x에 대하여 미분하여 $\dfrac{dy}{dx}$를 구한다.

[문제 3-1] 조건 $a \geq 0$, $0 < 2b < \left(a+\dfrac{3}{2}\right)^2$을 만족하는 실수 a, b가 있다. 주어진 a에 대하여 곡선 $y = \left(a+\dfrac{3}{2}\right)^2 - (a+1)^2 x^2$과 원 $x^2 + (y-b)^2 = b^2$이 서로 다른 두 점에서 만나게 하는 b의 값을 $f(a)$라 할 때, $f(a)$의 최댓값을 구하시오. [10점]

[문제 3-2] 좌표평면 위를 움직이는 점 $\mathrm{A}(\cos t,\ \sin t)$와 곡선 $y=\sqrt{x}$ 위의 점 $\mathrm{B}(x,\ y)$가 거리 1을 유지하며 연속적으로 움직인다. $t=0$일 때, 점 $\mathrm{B}(x,\ y)$는 제 1사분면의 한 점에서 출발한다. $t=\dfrac{\pi}{2}$일 때, $\dfrac{dx}{dt}$의 값을 구하시오. 또한, 점 $\mathrm{B}(x,\ y)$의 x좌표의 최댓값을 구하시오. (단, $0 \leq t \leq \pi$이다.) [15점]

【문제 1】 이 답안 영역에는 1번 문항에 대한 답을 작성하시오.

【문제 2】 이 답안 영역에는 2번 문항에 대한 답을 작성하시오.

이 줄 아래에 답안을 작성하거나 낙서할 경우 판독이 불가능하여 채점 불가

【문제 3】 이 답안 영역에는 3번 문항에 대한 답을 작성하시오.

【문제 4】 이 답안 영역에는 4번 문항에 대한 답을 작성하시오.

답안작성란 밖에 작성된 내용은 채점 대상에서 제외

6. 2023학년도 중앙대 모의 논술

[문제 1] 다음 상황에 기초하여 문제에 답하시오.

- 주머니 A에는 2부터 4까지 자연수가 각각 하나씩 적힌 3개의 공이 들어 있고 주머니 B에는 4에서 32까지 자연수가 각각 하나씩 적힌 29개의 공이 들어 있다.
- 주머니 A에서 임의로 한 개의 공을 꺼낼 때 적힌 수를 a라 하고 주머니 B에서 임의로 한 개의 공을 꺼낼 때 적힌 수를 b라 하자.

이때 $-48 + 44\log_a(ab) - 12\{\log_a(ab)\}^2 + \{\log_a(ab)\}^3 > 0$을 만족하는 순서쌍 (a, b)의 개수를 모두 구하시오. [20점]

[문제 2] 다음을 읽고 문제에 답하시오.

- 양수 M, N에 대하여 $\ln(MN) = \ln M + \ln N$이 성립한다.
- 첫째항이 a이고 공차가 d인 등차수열의 첫째항부터 제 n항까지의 합은 $\dfrac{n\{2a + (n-1)d\}}{2}$이다.
- 등비급수 $\displaystyle\sum_{n=1}^{\infty} ar^{n-1} (a \neq 0)$은 $|r| < 1$일 때 수렴하고 그 합은 $\dfrac{a}{1-r}$이다.
- 미분가능한 함수 $g(x)$의 도함수 $g'(x)$가 닫힌구간 $[a, b]$를 포함하는 열린구간에서 연속이고, $g(a) = \alpha$, $g(b) = \beta$에 대하여 함수 $f(x)$가 α와 β를 양끝으로 하는 닫힌구간에서 연속일 때 다음 식이 성립한다.
$$\int_a^b f(g(x))g'(x)dx = \int_\alpha^\beta f(t)dt$$
- 모든 실수 x에 대하여 다음 식이 성립한다.
$$\sin\left(\frac{\pi}{2} - x\right) = \cos x, \quad \sin^2 x + \cos^2 x = 1$$

[문제 2-1] 첫째항부터 제 5항까지의 합이 45, 첫째항부터 제 10항까지의 합이 140인 등차수열 $\{a_n\}$에 대하여 다음 급수의 합을 구하시오. [10점]

$$\sum_{n=1}^{\infty} \frac{1}{2^n} \ln\left\{\frac{3(a_n)^2}{a_n + 2}\right\}$$

[문제 2-2] 다음 정적분의 값을 구하시오. [15점]

$$\int_0^{\frac{\pi}{2}} (2x^2 - \pi x + \pi^2)\sin^2 x\, dx$$

[문제 3] 다음을 읽고 문제에 답하시오.

- 곡선 $y = f(x)$ 위의 점 $(\alpha,\ f(\alpha))$에서 접하는 접선의 방정식은 다음 식과 같다.
$$y - f(\alpha) = f'(\alpha)(x - \alpha)$$
- 미분가능한 두 함수 $f(x)$, $g(x)$에 대하여 $f'(x)$, $g'(x)$가 닫힌구간 $[a,\ b]$에서 연속일 때 다음 식이 성립한다.
$$\int_a^b f(x)g'(x)dx = [f(x)g(x)]_a^b - \int_a^b f'(x)g(x)dx$$
- 미분가능한 두 함수 $y = f(u)$, $u = g(x)$에 대하여 합성함수 $y = f(g(x))$의 도함수는 $\{f(g(x))\}' = f'(g(x))g'(x)$이다.

[문제 3-1] 좌표평면 위의 점 A$(0,\ 1)$에서 곡선 $y = f(x) = (\ln x)^2 - \ln x$에 그은 두 접선의 접점을 $(\alpha,\ f(\alpha))$, $(\beta,\ f(\beta))$라 할 때, $\displaystyle\int_\alpha^\beta \{(\ln x)^2 - \ln x\}dx$를 구하시오. (단, $\alpha < \beta$이다.) [10점]

[문제 3-2] 좌표평면 위를 움직이는 점 P의 시각 t에서의 위치 $(x,\ y)$가
$$x = t, \quad y = \sqrt{6}\,(t - 2)^2$$
이다. 점 P에서 원 $x^2 + y^2 = 1$에 그은 두 접선과 원 $x^2 + y^2 = 1$로 둘러싸인 부분의 넓이를 $S(t)$라 할 때, $S'(d) = 0$을 만족시키는 d를 구하시오. [15점]

【문제 1】 이 답안 영역에는 1번 문항에 대한 답을 작성하시오.

【문제 2】 이 답안 영역에는 2번 문항에 대한 답을 작성하시오.

이 줄 아래에 답안을 작성하거나 낙서할 경우 판독이 불가능하여 채점 불가

【문제 3】 이 답안 영역에는 3번 문항에 대한 답을 작성하시오.

【문제 4】 이 답안 영역에는 4번 문항에 대한 답을 작성하시오.

답안작성란 밖에 작성된 내용은 채점 대상에서 제외

7. 2022학년도 중앙대 수시 논술 [자연 Ⅰ]

[문제 1] 다음 상황에 기초하여 문제에 답하시오.

아래와 같이 번호가 부여된 8개의 의자가 있다. 1번부터 7번까지의 서로 다른 등번호를 부여받은 7명의 사람들을 7개의 의자에 앉히려고 한다.

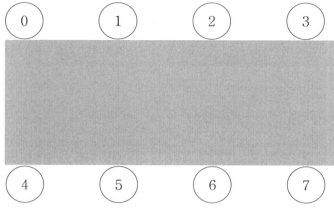

단, 자리를 배치할 때, 다음의 조건을 모두 만족하여야 한다.

- 한 의자에 2명 이상 앉을 수 없다.
- 모든 사람은 본인의 등번호보다 큰 번호의 의자에 앉을 수 없다.
- 등번호가 5번인 사람은 4번, 5번 의자 중 하나에 앉아야 한다.
- 등번호가 6번인 사람은 4번, 5번, 6번 의자 중 하나에 앉아야 한다.
- 등번호가 7번인 사람은 6번, 7번 의자 중 하나에 앉아야 한다.

자리를 배치하는 경우의 수를 구하시오. [20점]

[문제 2] 다음을 읽고 문제에 답하시오.

- 미분가능한 두 함수 $y=f(u)$, $u=g(x)$에 대하여 합성함수 $y=f(g(x))$의 도함수는 $\{f(g(x))\}'=f'(g(x))g'(x)$이다.
- 두 점 $A(a_1,\ a_2)$, $B(b_1,\ b_2)$에 대하여 벡터 $\overrightarrow{AB}$는 $(b_1-a_1,\ b_2-a_2)$로 주어진다.
- 함수 $f(x)$가 $x=a$에서 미분가능하고 $x=a$에서 극값을 가지면 $f'(a)=0$이다. 미분가능한 함수 $f(x)$에 대하여 $f'(a)=0$이고, $x=a$의 좌우에서 $f'(x)$의 부호가 양에서 음으로 바뀌면 $f(x)$는 $x=a$에서 극대이다.

[문제 2-1] 좌표평면 위의 곡선 $9y^2=64(1-\sqrt{x})^3$의 길이를 구하시오. (단, $x\geq\dfrac{1}{2}$, $y\geq0$이다.) [10점]

[문제 2-2] 좌표평면 위의 점 $P(x,\ y)$가 다음의 조건을 만족하면서 연속적으로 움직인다고 하자.

(가) 점 $P(x,\ y)$는 시각 $t=0$일 때, $(\sqrt{2},\ 0)$에서 출발하여 타원 $x^2+2y^2=2$를 따라 반시계방향으로 움직이기 시작한다.

(나) 점 $P(x,\ y)$는 시각 $t\ (t\geq0)$일 때, 타원 $x^2+2y^2=2$의 두 초점 A와 B에 대하여 $\overrightarrow{PA}\cdot\overrightarrow{PB}=\dfrac{2+t^2}{2(1+t+t^2)}$을 만족한다.

삼각형 PAB의 넓이를 S라 할 때, S^2의 최댓값을 구하시오. [15점]

[문제 3] 다음을 읽고 문제에 답하시오.

- 함수 $f(x)$가 닫힌구간 $[a, b]$에서 연속이면 함수 $f(x)$는 이 닫힌구간에서 반드시 최댓값과 최솟값을 갖는다.
- 닫힌구간 $[a, b]$에서 두 함수 $f(x)$, $g(x)$의 도함수가 연속일 때 다음 식이 성립한다.

$$\int_a^b f(x)g'(x)dx = [f(x)g(x)]_a^b - \int_a^b f'(x)g(x)dx$$

- 미분가능한 함수 $g(t)$에 대하여 $x = g(t)$로 놓으면 $\int f(x)dx = \int f(g(t))g'(t)dt$이다.

[문제 3-1] 좌표평면 위의 두 점 $A(a, 0)$, $B(b, b^2+1)$과 원점 O가 이루는 삼각형 OAB의 넓이가 4라고 하자. 이때 $20(2a+b^2)-(2a+b^2)^2$의 **최댓값** M과 **최솟값** m을 각각 구하시오. (단, $a \geq 1$이다.) [10점]

[문제 3-2] $0 \leq x \leq \dfrac{\pi}{3}$에서 정의된 연속함수 $f(x)$는 다음을 만족한다.

  (가) $(f(x))^2\cos^2 x - 2f(x)(1+\sin x)\cos x + (1+\sin x)^2\cos^2 x = 0$

  (나) $f\left(\dfrac{\pi}{6}\right) = \dfrac{3\sqrt{3}}{2}$

이때 정적분 $\displaystyle\int_0^{\frac{\pi}{6}} \{f'(x)\cos x - f(x)\sin x\}e^{\sin x}dx$의 값을 구하시오. [15점]

【문제 1】 이 답안 영역에는 1번 문항에 대한 답을 작성하시오.

【문제 2】 이 답안 영역에는 2번 문항에 대한 답을 작성하시오.

이 줄 아래에 답안을 작성하거나 낙서할 경우 판독이 불가능하여 채점 불가

【문제 3】 이 답안 영역에는 3번 문항에 대한 답을 작성하시오.

【문제 4】 이 답안 영역에는 4번 문항에 대한 답을 작성하시오.

답안작성란 밖에 작성된 내용은 채점 대상에서 제외

8. 2022학년도 중앙대 수시 논술 [자연 II]

[문제 1] 다음 상황에 기초하여 문제에 답하시오.

그림과 같이 좌표평면 위에 좌표가 $(1,1), (1,2), \cdots, (m,n)$인 $m \times n$점이 있다. 이 중 4개의 점을 택하여 만들 수 있는 직사각형 중 넓이가 1인 것을 제외한 개수를 $A(m,n)$이라고 정의한다. (단, m, n은 1보다 큰 자연수이다.)

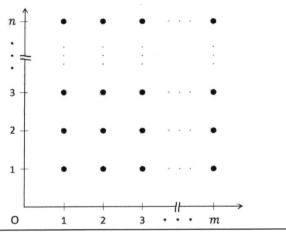

$A(3, 100) - A(2, 100)$을 구하시오. **[20점]**

[문제 2] 다음을 읽고 문제에 답하시오.

> - 함수 $f(x)$가 $x=a$에서 미분가능하고 $x=a$에서 극값을 가지면 $f'(a)=0$이다.
> - 다항식 $P(x)$에 대하여 $P(a)=0$일 때, $P(x)$를 $x-a$로 나눈 몫을 $Q(x)$라 하면 $P(x)=(x-a)Q(x)$이다.
> - 각 α와 β에 대하여 다음 식이 성립한다.
> $$\sin(\alpha+\beta)=\sin\alpha\cos\beta+\cos\alpha\sin\beta, \quad \sin(\alpha-\beta)=\sin\alpha\cos\beta-\cos\alpha\sin\beta$$
> $$\cos(\alpha+\beta)=\cos\alpha\cos\beta-\sin\alpha\sin\beta, \quad \cos(\alpha-\beta)=\cos\alpha\cos\beta+\sin\alpha\sin\beta$$
> - 함수 $f(t)$가 닫힌구간 $[a, b]$에서 연속일 때 다음 식이 성립한다.
> $$\frac{d}{dx}\int_a^x f(t)dt=f(x) \quad (단, \ a<x<b)$$

[문제 2-1] x에 대한 방정식 $2x^3+3kx^2-(2k^2+k-2)=0$이 단 하나의 실근을 가지게 하는 실수 k의 범위를 구하시오. (단, $k\geq 0$이다.) [10점]

[문제 2-2] 연속함수 $f(x)$가 모든 실수 x에 대하여
$$\int_0^x f(t)\sin(x-t)dt=\ln(1+x^2)$$
을 만족한다. 이때 정적분 $\int_0^2 xf(x)dx$의 값을 구하시오. [15점]

[문제 3] 다음을 읽고 문제에 답하시오.

- 닫힌구간 $[a, b]$에서 두 함수 $f(x)$, $g(x)$의 도함수가 연속일 때 다음 식이 성립한다.

$$\int_a^b f(x)g'(x)dx = [f(x)g(x)]_a^b - \int_a^b f'(x)g(x)dx$$

- 점 (a, b)와 점 (b, a)는 직선 $y = x$에 대하여 대칭이다.
- 두 평면벡터 $\vec{a}$, $\vec{b}$가 이루는 각의 크기가 θ일 때, $\vec{a}$와 $\vec{b}$의 내적은 $\vec{a} \cdot \vec{b} = |\vec{a}||\vec{b}|\cos\theta$이다.

[문제 3-1] 실수 θ에 대하여 영역 $A = \{(x, y) | (x-1)^2 + y^2 \leq 1, y \geq (\tan\theta)x\}$의 넓이를 $g(\theta)$라 하자. 정적분 $\int_0^{\frac{\pi}{4}} \dfrac{g(\theta)}{\cos^2\theta}d\theta$의 값을 구하시오. (단, $0 \leq \theta \leq \dfrac{\pi}{4}$이다.) [10점]

[문제 3-2] $x \geq 1$에서 정의된 함수 $f(x) = \dfrac{1}{14 + 8\sqrt{3}}\ln x (\ln x - 1)^2$에 대하여, 원점이 O인 좌표평면 위의 점 $A(t, f(t))$가 있다. 점 A를 직선 $y = x$에 대하여 대칭시킨 점을 B라 할 때, 두 벡터 $\dfrac{\overrightarrow{OA}}{|\overrightarrow{OA}|}$와 $\dfrac{\overrightarrow{OB}}{|\overrightarrow{OB}|}$의 내적의 최댓값을 구하시오. (단, $x \geq 1$에서 $f(x) \leq \sqrt{x}$이다.) [15점]

【문제 1】 이 답안 영역에는 1번 문항에 대한 답을 작성하시오.

【문제 2】 이 답안 영역에는 2번 문항에 대한 답을 작성하시오.

이 줄 아래에 답안을 작성하거나 낙서할 경우 판독이 불가능하여 채점 불가

【문제 3】 이 답안 영역에는 3번 문항에 대한 답을 작성하시오.

【문제 4】 이 답안 영역에는 4번 문항에 대한 답을 작성하시오.

답안작성란 밖에 작성된 내용은 채점 대상에서 제외

9. 2022학년도 중앙대 수시 논술 [자연 III]

[문제 1] 다음 상황에 기초하여 문제에 답하시오.

다음은 함수 $f(x) = 2^{x-1} + 2$와 원의 방정식 $(x-3)^2 + y^2 = 9$의 일부이다.

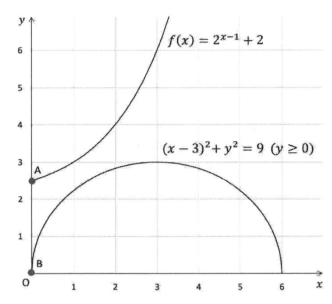

y축 위의 점 A와 B는 다음의 규칙에 따라 이동한다.

- 1부터 4까지의 자연수가 각각 하나씩 적혀있는 4장의 카드가 있다. 이 중에서 임의로 1장의 카드를 택하여 그 카드에 적혀있는 숫자를 a라고 하면, 점 A는 $(a, f(a))$로 이동한다.

- 주사위를 한 번 던져서 나오는 눈의 수를 b 라고 하면,

  점 B는 $x = b$와 $(x-3)^2 + y^2 = 9\,(y \geq 0)$과의 교점으로 이동한다.

위의 규칙에 따라 이동한 두 점 A와 B에서 원점까지의 거리를 각각 구하였다. 이때 각 거리 제곱의 차이가 최소가 되는 순서쌍 (a, b)를 모두 구하시오. [20점]

[문제 2] 다음을 읽고 문제에 답하시오.

- 함수 $y=f(x)$의 $x=a$에서의 미분계수는 $f'(a)=\lim\limits_{\Delta x \to 0}\dfrac{f(a+\Delta x)-f(a)}{\Delta x}$이다.

- 미분가능한 두 함수 $y=f(u)$, $u=g(x)$에 대하여 합성함수 $y=f(g(x))$의 도함수는 $\{f(g(x))\}'=f'(g(x))g'(x)$이다.

- 함수 $f(x)$가 임의의 실수 a, b, c를 포함하는 닫힌구간에서 연속일 때, 다음 식이 성립한다.

$$\int_a^c f(x)dx = \int_a^b f(x)dx + \int_b^c f(x)dx$$

- $\lim\limits_{n \to \infty}a_n=\lim\limits_{n \to \infty}b_n=L$(L은 실수)이고 모든 자연수 n에 대하여 $a_n \le c_n \le b_n$이면 $\lim\limits_{n \to \infty}c_n=L$이다.

[문제 2-1] 미분가능한 함수 $f(x)$가 모든 자연수 k에 대하여

$$\lim_{x \to k}\frac{f(x)-k}{x-k}=f(k)\sqrt{f(k)} \quad (단, \ f(x) \ge 0)$$

을 만족한다. $g(x)=f(f(x))$라 할 때, $\displaystyle\sum_{n=1}^{20}g'(n)$의 값을 구하시오. [10점]

[문제 2-2] 자연수 n에 대하여 I_n을

$$I_n = \int_0^{n\pi}\{|\sin x|\cos^2 x + \sin^5(2x)\cos x\}dx$$

라 정의할 때, 극한 $\lim\limits_{n \to \infty}\dfrac{I_n}{n}$의 값을 구하시오. [15점]

[문제 3] 다음을 읽고 문제에 답하시오.

- 함수 $y = f(x)$의 그래프와 그 역함수 $y = f^{-1}(x)$의 그래프는 직선 $y = x$에 대하여 대칭이다.

- 점 $(x_1,\ y_1)$과 직선 $px + qy + r = 0$사이의 거리는 $\dfrac{|px_1 + qy_1 + r|}{\sqrt{p^2 + q^2}}$이다.

- 두 벡터 $\overrightarrow{OA}$와 $\overrightarrow{OB}$의 내적을 $\overrightarrow{OA} \cdot \overrightarrow{OB}$로 나타낸다.

- 이차방정식 $ax^2 + bx + c = 0\ (a \neq 0)$의 두 근을 $\alpha,\ \beta$라 하면 $\alpha + \beta = -\dfrac{b}{a},\ \alpha\beta = \dfrac{c}{a}$이다.

[문제 3-1] 함수 $f(x) = x + \dfrac{1}{2(x+1)^2}\ (x \geq 0)$과 그 역함수 $f^{-1}(x)$가 있다. 좌표평면 위에서 $y = f(x)$의 그래프 위의 점 A를 지나고 기울기가 -1인 직선을 l이라 할 때, 직선 l과 역함수 $y = f^{-1}(x)$의 교점을 B라 하자. 두 점 A, B와 원점 O가 이루는 삼각형 OAB의 넓이가 최대가 되게 하는 점 A의 좌표를 구하시오. [10점]

[문제 3-2] 좌표평면 위에 세 점 A(1, 0), B(3, 0), C(0, 2)가 있고, 점 P가 다음을 만족한다.

(가) $\overrightarrow{PA} \cdot \overrightarrow{PB} = 0$

(나) 두 실수 $x,\ y$에 대하여 $\overrightarrow{PC} = x\overrightarrow{PA} + y\overrightarrow{PB}$이다.

$\dfrac{x+y}{x+3y}$의 최댓값을 M, 최솟값을 m이라 할 때, $mM^2 + Mm^2$의 값을 구하시오. [15점]

【문제 1】 이 답안 영역에는 1번 문항에 대한 답을 작성하시오.

【문제 2】 이 답안 영역에는 2번 문항에 대한 답을 작성하시오.

이 줄 아래에 답안을 작성하거나 낙서할 경우 판독이 불가능하여 채점 불가

【문제 3】 이 답안 영역에는 3번 문항에 대한 답을 작성하시오.

【문제 4】 이 답안 영역에는 4번 문항에 대한 답을 작성하시오.

답안작성란 밖에 작성된 내용은 채점 대상에서 제외

10. 2022학년도 중앙대 모의 논술

[문제 1] 다음 상황에 기초하여 문제에 답하시오.

- 다음과 같이 두 종류의 정다면체 주사위를 고려한다. 즉, 정사면체 주사위는 각 면에 1부터 4까지의 자연수가 중복되지 않게 한 번씩 적혀있고, 정팔면체 주사위는 각 면에 1부터 8까지의 자연수가 같은 방식으로 적혀있다. 이때 각 주사위를 던졌을 때 밑면에 적혀있는 수를 그 주사위의 눈의 수라고 정의한다.

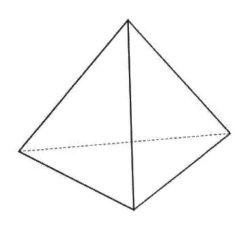 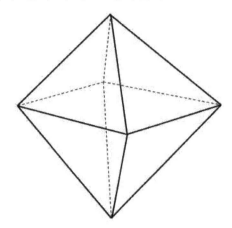

정사면체 주사위   정팔면체 주사위

- 두 가지 정다면체 주사위를 각각 한 번씩 던지는 실험을 시행할 때, 정사면체 주사위를 던져서 나오는 눈의 수를 a라고 하고 정팔면체 주사위를 던져서 나오는 눈의 수를 b라고 한다.
- 이때 원 $x^2 + y^2 = a^2$과 직선 $y = |b-4|$가 서로 다른 두 점에서 만날 때, 두 점 사이의 선분의 길이를 l이라고 한다.

$\sqrt{15} \le l \le \sqrt{20}$ 을 만족시키는 순서쌍 (a, b)를 모두 구하시오. **[20점]**

[문제 2] 다음을 읽고 문제에 답하시오.

- 각 θ에 대하여 식 $\sin^2\theta + \cos^2\theta = 1$이 성립한다.
- 미분가능한 함수 $g(x)$에 대하여 $g(x) = t$로 놓으면, 다음 식이 성립한다.
$$\int f(g(x))g'(x)dx = \int f(t)dt$$
- 각 α와 β에 대하여 다음 식이 성립한다.
$$\tan(\alpha - \beta) = \frac{\tan\alpha - \tan\beta}{1 + \tan\alpha\tan\beta}$$
- 미분가능한 두 함수 $y = f(u)$, $u = g(x)$에 대하여 합성함수 $y = f(g(x))$의 도함수는 $\{f(g(x))\}' = f'(g(x))g'(x)$이다.

[문제 2-1] 다음 정적분의 값을 구하시오. [10점]

$$\int_0^{\frac{\pi}{6}} \frac{(1-\sin x)^2}{\cos^3 x}dx$$

[문제 2-2] 좌표평면 위에서 점 P는 시각 $t(\geq 0)$에 따라 다음의 조건을 만족하며 움직인다고 하자.

(가) 시각 $t = 0$일 때 점 P의 위치는 원점 O이다.

(나) 점 P는 시간이 증가함에 따라 x축 방향으로 움직이며, 시각 t일 때 좌표를 $(s(t), 0)$으로 표현할 수 있다.

(다) 시각 t일 때 점 P의 속력은 $v(t) = \dfrac{\ln(t+1)}{t+1}$이다.

점 P를 중심으로 점 A$(-2, 2)$와 점 B$(-1, 1)$이 이루는 각 $\angle$APB를 $\theta(t)$라 할 때, $\theta(t)$가 최댓값을 가지는 시각 t_0에 대하여 $\theta''(t_0)$을 구하시오. [15점]

[문제 3] 다음을 읽고 문제에 답하시오.

- 함수 $h(x)$가 어떤 구간에서 미분가능하고 이 구간의 모든 x에서 $h'(x) > 0$이면 $h(x)$는 이 구간에서 증가한다.
- 두 함수 $u(x)$, $v(x)$가 닫힌구간 $[c, d]$에서 연속일 때, 두 곡선 $y = u(x)$, $y = v(x)$ 및 두 직선 $x = c$, $x = d$로 둘러싸인 도형의 넓이는 $\int_c^d |u(x) - v(x)| dx$이다.
- 이차방정식 $\ell x^2 + mx + n = 0$의 두 근을 α, β라 하면 $\alpha + \beta = -\dfrac{m}{\ell}$, $\alpha\beta = \dfrac{n}{\ell}$이다.
- 점 (x_1, y_1)과 직선 $px + qy + r = 0$사이의 거리는 $\dfrac{|px_1 + qy_1 + r|}{\sqrt{p^2 + q^2}}$이다.

[문제 3-1] 좌표평면 위의 영역 R는 다음의 조건 (가)가 조건 (나)의 필요충분조건이 되도록 정의되어 있다.

(가) 점 (a, b)는 R의 원소이다.

(나) 두 함수 $f(x) = x^3 + ax^2 + bx + 1$과 $g(x) = x^5 - bx^3 + ax + 1$이 모두 실수 전체의 집합에서 역함수를 갖는다.

영역 R의 넓이를 구하시오. [10점]

[문제 3-2] $t > \dfrac{1}{2}$인 임의의 실수 t에 대하여 점 $(t, -3t^2 + 4t - 1)$에서 포물선 $y = x^2$에 그은 두 접선과 이 포물선이 둘러싸는 영역의 넓이를 $A(t)$라 할 때, $18 < A(t) < 486$을 만족하는 t의 범위를 구하시오. [15점]

【문제 1】 이 답안 영역에는 1번 문항에 대한 답을 작성하시오.

【문제 2】 이 답안 영역에는 2번 문항에 대한 답을 작성하시오.

이 줄 아래에 답안을 작성하거나 낙서할 경우 판독이 불가능하여 채점 불가

【문제 3】 이 답안 영역에는 3번 문항에 대한 답을 작성하시오.

【문제 4】 이 답안 영역에는 4번 문항에 대한 답을 작성하시오.

답안작성란 밖에 작성된 내용은 채점 대상에서 제외

11. 2021학년도 중앙대 수시 논술 [자연 Ⅰ]

[문제 1] K 회사는 다음 그림의 (가)와 같이 4개의 부품 p, q, r, s 가 전선으로 연결된 전기 시스템 설계를 (나)와 같이 전선이 중앙에 추가된 설계로 교체할 것을 고려하고 있다. 각 부품은 독립적으로 동작하고, 각 부품이 작동 및 오작동할 확률은 각각 $\frac{1}{2}$ 이다.

전류는 A에서 B로 흐르며, 각 부품은 작동할 때만 전류가 흐른다. 시스템 (가)에서 (나)로 설계를 교체할 때 추가되는 비용은 50만 원이며, 시스템에서 전류가 흐를 확률이 1% 증가함에 따르는 수익은 10만 원이라고 한다. K 회사가 시스템 설계를 (가)에서 (나)로 교체할 때, 이익의 증가액 (단위: 만 원)의 기댓값을 구하시오. [20점]

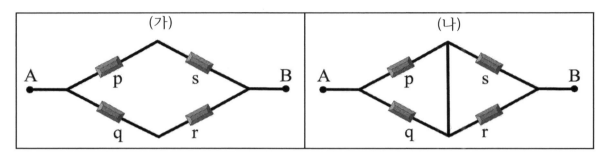

[문제 2] 다음을 읽고 문제에 답하시오.

- 함수 $f(x)$가 닫힌구간 $[a, b]$에서 연속이고 $f(x) \geq 0$이면, 정적분 $\int_a^b f(x)dx$는 곡선 $y = f(x)$, 직선 $x = a$, 직선 $x = b$와 x축으로 둘러싸인 도형의 넓이를 나타낸다.
- 각 θ_1과 θ_2에 대하여 $\sin(\theta_1 + \theta_2) = \sin\theta_1\cos\theta_2 + \cos\theta_1\sin\theta_2$가 성립한다.
- 함수 $f(x)$가 $x = a$에서 미분가능하고 극값을 가지면 $f'(a) = 0$이다.

[문제 2-1] 원점을 지나는 두 직선 l_1과 l_2는 $y = x$에 대하여 대칭이고 제 1사분면에서 각 θ를 이루고 있다. 제 1사분면에서 직선 l_1과 l_2와 곡선 $y = \dfrac{1}{x}$을 경계로 하는 영역의 넓이를 $f(\theta)$라고 할 때, $f'(\theta) = 2$를 만족하는 θ를 구하시오. [10점]

[문제 2-2] 닫힌구간 $\left[0, \pi^2 + 2\pi\right]$에서 다음과 같이 정의된 함수 $f(x)$가 최댓값을 갖게 하는 x를 구하시오. [15점]

$$f(x) = \frac{\sqrt{x+1}+1}{x + 2(\sqrt{x+1}+1)\cos(\sqrt{x+1}-1)}$$

[문제 3] 다음을 읽고 문제에 답하시오.

> - 미분가능한 두 함수 $f(x)$, $g(x)$에 대하여 다음이 성립한다.
> $$\int f(x)g'(x)dx = f(x)g(x) - \int f'(x)g(x)dx$$
> - 두 함수 $y = f(u)$, $u = g(x)$가 각각 u, x에 대하여 미분가능하면, 합성함수 $y = f(g(x))$도 x에 대하여 미분가능하고, 그 도함수는 $\dfrac{dy}{dx} = \dfrac{dy}{du}\dfrac{du}{dx}$이다.
> - x의 함수 y가 음함수 $f(x, y) = 0$의 꼴로 주어졌을 때, y를 x의 함수로 보고 각 항을 x에 대하여 미분한 후 $\dfrac{dy}{dx}$를 구한다.

[문제 3-1] 함수 $F(x) = \displaystyle\int_0^x \sin^2 t\, dt$에 대하여, 다음 정적분의 값을 구하시오. (단, 각 θ에 대하여 $\sin^2\theta = \dfrac{1 - \cos 2\theta}{2}$가 성립한다.) **[10점]**

$$\int_0^\pi (2x - \sin(2x))e^{F(x)}\sin^2 x\, dx$$

[문제 3-2] 좌표평면 위를 움직이는 점 P의 시각 t에서의 좌표는 $(\cos t, \sin t)$이다. 여기서 t의 범위는 $0 \le t \le \dfrac{\pi}{4}$이다. 제 1사분면에 속한 점 Q는 곡선 $y = (x+1)(x-1)^2$ 위에 있고, 점 P와 거리를 $2\sqrt{2}$로 유지하며 연속적으로 움직인다. 점 Q가 $(2, 3)$을 지날 때, 점 Q의 속도 $\left(\dfrac{dx}{dt}, \dfrac{dy}{dt}\right)$를 구하시오. **[15점]**

【문제 1】 이 답안 영역에는 1번 문항에 대한 답을 작성하시오.

【문제 2】 이 답안 영역에는 2번 문항에 대한 답을 작성하시오.

이 줄 아래에 답안을 작성하거나 낙서할 경우 판독이 불가능하여 채점 불가

【문제 3】 이 답안 영역에는 3번 문항에 대한 답을 작성하시오.

【문제 4】 이 답안 영역에는 4번 문항에 대한 답을 작성하시오.

답안작성란 밖에 작성된 내용은 채점 대상에서 제외

12. 2021학년도 중앙대 수시 논술 [자연 II]

[문제 1] 좌표평면 위의 점 P는 동전을 한 번 던져서 앞면이 나오면 오른쪽 대각선 방향의 위(↗)로 한 칸만큼, 뒷면이 나오면 오른쪽 대각선 방향의 아래(↘)로 한 칸만큼 이동한다. 동전을 반복적으로 던지는 실험의 결과, 아래의 그림과 같이 원점 O에서 출발한 점 P가 점 Q(12, 8)에 도착했다고 할 때, 원점을 출발한 이후 점 P가 x축에 닿지 않았을 확률을 구하시오. [20점]

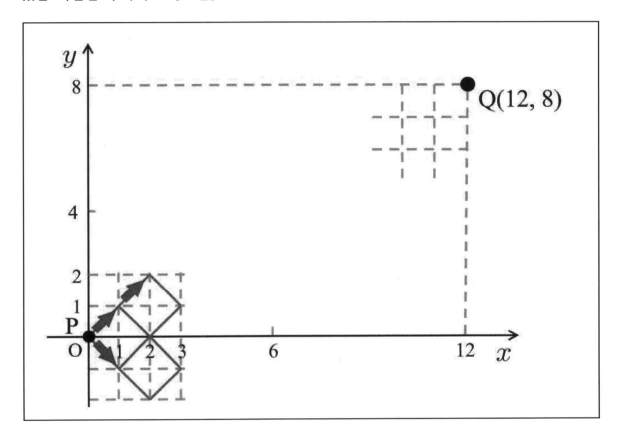

[문제 2] 다음을 읽고 문제에 답하시오.

- 실수 a, b에 대하여 $(a+b)^4 = a^4 + 4a^3b + 6a^2b^2 + 4ab^3 + b^4$이 성립한다.

- 수열 $\{a_n\}$, $\{b_n\}$이 수렴하고 $\lim\limits_{n\to\infty} a_n = \alpha$, $\lim\limits_{n\to\infty} b_n = \beta$일 때, 다음 식이 성립한다.

$$\lim_{n\to\infty} a_n b_n = \left(\lim_{n\to\infty} a_n\right)\left(\lim_{n\to\infty} b_n\right) = \alpha\beta, \quad \lim_{n\to\infty}\frac{a_n}{b_n} = \frac{\lim\limits_{n\to\infty} a_n}{\lim\limits_{n\to\infty} b_n} = \frac{\alpha}{\beta} \quad (\text{단, } \beta \neq 0)$$

- 닫힌구간 $[a, b]$에서 연속인 함수 $f(x)$의 한 부정적분을 $F(x)$라 할 때, 다음 식이 성립한다.

$$\int_a^b f(x)dx = F(b) - F(a)$$

- 미분가능한 함수 $g(t)$에 대하여 $x = g(t)$로 놓으면, 다음 식이 성립한다.

$$\int f(x)dx = \int f(g(t))g'(t)dt$$

[문제 2-1] 다음 극한값을 구하시오. [10점]

$$\lim_{n\to\infty} \frac{(\sqrt{n}+1)^4 + (\sqrt{n}+2)^4 + (\sqrt{n}+3)^4 + (\sqrt{n}+4)^4 + \cdots + (\sqrt{n}+n)^4}{(n+1)^4 + (n+2)^4 + (n+3)^4 + (n+4)^4 + \cdots + (2n)^4}$$

[문제 2-2] 닫힌구간 $[0, 20]$에서 정의된 함수 $f(x)$가 다음 식을 만족한다.

$$f(20-x) = \sqrt{-x^2 + 20x - 2(f(x))^2}$$

이때, 정적분 $\displaystyle\int_0^{10} xf(x)dx$의 값을 구하시오. [15점]

[문제 3] 다음을 읽고 문제에 답하시오.

- 좌표평면 위를 움직이는 점 P의 시각 t에서의 위치 (x, y)가 $x = f(t)$, $y = g(t)$일 때, 속력은 $\sqrt{(f'(t))^2 + (g'(t))^2}$ 이다.
- 직선 $y = mx + n$이 x축의 양의 방향과 이루는 각의 크기를 θ라고 하면 $\tan\theta = m$ 이다.
- 각 α와 β에 대하여 다음 식이 성립한다.

$$\tan(\alpha + \beta) = \frac{\tan\alpha + \tan\beta}{1 - \tan\alpha\tan\beta} \quad (\text{단, } \alpha \neq \frac{\pi}{2}, \ \beta \neq \frac{\pi}{2}, \ \tan\alpha\tan\beta \neq 1)$$

[문제 3-1] 좌표평면 위를 움직이는 점 P의 시각 t에서의 위치 (x, y)가

$$x = t, \quad y = \frac{2}{3}\left(t^2 - 2t + 2\right)^{\frac{3}{2}}$$

이다. 점 P의 속력이 최소가 되는 시각을 t_0이라 할 때, 시각 $t = 0$에서 시각 $t = t_0$까지 점 P가 움직인 거리를 구하시오. [10점]

[문제 3-2] 좌표평면 위에 원점 O가 중심이고 반지름의 길이가 1인 원 위의 점 A($\cos\theta$, $\sin\theta$)가 있다. 그리고 원점을 지나며 x축의 양의 방향과 이루는 각의 크기가 2θ인 직선과 곡선 $x^2 + \frac{y^2}{4} = 1$의 교점을 B라 하고, 삼각형 AOB의 넓이의 최댓값을 M이라 하자. 삼각형 AOB의 넓이를 $\tan\theta$로만 표현된 함수로 나타내고, 이를 이용하여 M^2을 구하시오. (단, $0 \leq \theta \leq \frac{\pi}{2}$) [15점]

【문제 1】 이 답안 영역에는 1번 문항에 대한 답을 작성하시오.

【문제 2】 이 답안 영역에는 2번 문항에 대한 답을 작성하시오.

이 줄 아래에 답안을 작성하거나 낙서할 경우 판독이 불가능하여 채점 불가

【문제 3】 이 답안 영역에는 3번 문항에 대한 답을 작성하시오.

【문제 4】 이 답안 영역에는 4번 문항에 대한 답을 작성하시오.

답안작성란 밖에 작성된 내용은 채점 대상에서 제외

13. 2021학년도 중앙대 수시 논술 [자연 III]

[문제 1] 주사위를 네 번 던지는 실험을 할 때, 처음으로 6의 눈이 나올 때까지 던졌던 횟수를 확률 변수 X로 정의한다. 만약 네 번 던지는 동안 6의 눈이 나오지 않는 경우는, $X=5$로 정의한다. 예를 들어, 주사위의 눈이 순서대로 4, 1, 6, 2로 나오면 $X=3$이 된다. 주사위를 두 번째 던졌을 때 처음으로 5의 눈이 나왔다고 하자. 이때 X의 기댓값을 구하시오. [20점]

[문제 2] 다음을 읽고 문제에 답하시오.

- 함수 $f(x)$가 $x=c$에서 미분가능할 때, 곡선 $y=f(x)$위의 점 $(c,\,f(c))$에서의 접선의 방정식은 $y-f(c)=f'(c)(x-c)$이다.
- 직선 $y=mx+n$이 x축의 양의 방향과 이루는 각의 크기를 θ라고 하면 $\tan\theta=m$이다.
- 각 α와 β에 대하여 다음 식이 성립한다.
$$\sin(\alpha+\beta)=\sin\alpha\cos\beta+\cos\alpha\sin\beta$$
$$\tan(\alpha-\beta)=\frac{\tan\alpha-\tan\beta}{1+\tan\alpha\tan\beta}$$
- 함수 $f(x)$가 $x=a$에서 미분가능하고 극값을 가지면 $f'(a)=0$이다.

[문제 2-1] 좌표평면 위의 원 $(x-1)^2+y^2=1$과 원 $x^2+y^2=t^2$의 교점 중 $y\geq0$인 점을 P(t)라고 하자. 점 P(t)에서 두 원의 접선이 이루는 각을 $\theta(t)$라고 할 때, 정적분 $\int_{\sqrt{2}}^{2}\{\tan\theta(t)\}^2dt$의 값을 구하시오. (단, $\sqrt{2}\leq t\leq2$이고 $0\leq\theta(t)\leq\dfrac{\pi}{2}$이다.) [10점]

[문제 2-2] 반지름의 길이가 1인 원에 내접하는 이등변 삼각형 ABC가 있다. $\overline{BC}=x$이고 $\overline{AB}=\overline{AC}=y$라 할 때, x^3e^{-2y}의 최댓값을 구하시오. [15점]

[문제 3] 다음을 읽고 문제에 답하시오.

- 함수 $f(x)$가 구간 $[a, b]$에서 연속이고 $f(x) \geq 0$이면, 정적분 $\int_a^b f(x)dx$는 곡선 $y = f(x)$, 직선 $x = a$, 직선 $x = b$와 x축으로 둘러싸인 도형의 넓이를 나타낸다.
- 미분가능한 함수 $g(t)$에 대하여 $x = g(t)$로 놓으면, 다음 식이 성립한다.

$$\int f(x)dx = \int f(g(t))g'(t)dt$$

- 수열 $\{a_k\}$, $\{b_k\}$와 상수 c에 대하여, 다음 식이 성립한다.

$$\sum_{k=0}^{n} (ca_k + b_k) = c\sum_{k=0}^{n} a_k + \sum_{k=0}^{n} b_k$$

[문제 3-1] 두 곡선 $y = x^4$과 $y = \dfrac{2}{1+x^2}$로 둘러싸인 도형의 넓이를 구하시오. [10점]

[문제 3-2] $a_0 = 3$이고 자연수 k에 대하여 $a_k = 3 - k$인 수열이 있다. 음이 아닌 정수 n에 대하여 $b_n = \sum_{k=0}^{n} a_{n-k}a_k$라 할 때, b_n의 최솟값을 구하시오. [15점]

【문제 1】 이 답안 영역에는 1번 문항에 대한 답을 작성하시오.

【문제 2】 이 답안 영역에는 2번 문항에 대한 답을 작성하시오.

이 줄 아래에 답안을 작성하거나 낙서할 경우 판독이 불가능하여 채점 불가

【문제 3】 이 답안 영역에는 3번 문항에 대한 답을 작성하시오.

【문제 4】 이 답안 영역에는 4번 문항에 대한 답을 작성하시오.

답안작성란 밖에 작성된 내용은 채점 대상에서 제외

14. 2021학년도 중앙대 모의 논술

[문제 1] 다음을 읽고 문제에 답하시오.

- 보물섬에 가는 사람들은 $\frac{1}{9}$의 확률로 보물을 발견하여 보물을 가지고 돌아오고, $\frac{8}{9}$의 확률로 보물을 발견하지 못하고 그냥 돌아온다.

- 보물섬에 다녀온 사람들이 세관의 검색대를 통과하면, 검색대가 0과 4사이의 x값을 출력한다. (단, x는 실수)

- 보물을 가진 사람들을 검색대에서 측정한 값의 분포는 확률밀도함수 $g(x)$를 따르고, 보물을 가지고 있지 않은 사람들을 측정한 값의 분포는 확률밀도함수 $f(x)$를 따른다.

- 세관에서는 이 검색대에서 측정한 값이 2보다 크거나 같은 사람들을 특수그룹으로 분류하여, 잠재적인 보물 소유 그룹으로 판단한다.

- 확률밀도함수 $f(x)$와 $g(x)$는 아래의 그래프와 같다.

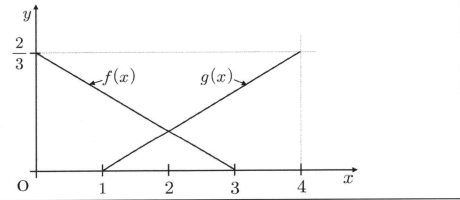

보물섬에 다녀온 철수가 세관으로부터 특수그룹으로 분류되었을 때, 철수가 실제로 보물을 가지고 돌아왔을 확률을 구하시오. **[20점]**

[문제 2] 다음 제시문 (가) - (라)를 읽고 문제에 답하시오.

> (가) 미분가능한 함수 $f(x)$에 대하여
> $$\int \frac{f'(x)}{f(x)}dx = \ln|f(x)| + C(단, C는 적분상수)$$
> (나) 함수 $f(x)$가 a, b를 포함하는 열린구간에서 연속이고, $f(x)$의 한 부정적분이 $F(x)$일 때
> $$\int_a^b f(x)dx = F(b) - F(a)$$
> (다) 모든 실수 θ에 대하여 $\sin^2\theta + \cos^2\theta = 1$
> (라) 함수 $f(x)$가 $x = a$에서 미분가능할 때, 곡선 $y = f(x)$위의 점 $P(a, f(a))$에서의 접선의 방정식은
> $$y - f(a) = f'(a)(x - a)$$

[문제 2-1] 다음 적분을 계산하시오. [10점]
$$\int_{-1}^1 \frac{1 + 2e^{-x}}{1 + e^x + e^{-x}}dx$$

[문제 2-2] 닫힌구간 $[0, 1]$에서 정의된 함수 $f(x)$가 다음 식을 만족한다.
$$2f(\cos x) + f(\sin x) = 3\sin x\cos x$$

곡선 $y = f(x)$에 접하고 기울기가 -1인 접선의 방정식을 구하시오. [15점]

[문제 3] 다음 제시문 (가) - (라)를 읽고 문제에 답하시오.

(가) 점 (x_1, y_1)과 직선 $ax+by+c=0$사이의 거리는 $\dfrac{|ax_1+by_1+c|}{\sqrt{a^2+b^2}}$이다.

(나) 함수 $f(x)$가 어떤 열린구간에서 미분가능하고, 이 구간에 속하는 모든 x에 대하여 $f'(x)>0$이면 $f(x)$는 이 구간에서 증가하고 $f'(x)<0$이면 감소한다.

(다) 함수 $g(x)$가 $x=p$에서 미분가능하고 $x=p$에서 극값을 가지면 $g'(p)=0$이다.

(라) 두 함수 $u(x)$, $v(x)$에 대하여 $\lim\limits_{x \to \infty} u(x)=\alpha$, $\lim\limits_{x \to \infty} v(x)=\beta$ (α, β는 실수)일 때, 다음의 식이 성립한다.

- $\lim\limits_{x \to \infty} \{u(x) \pm v(x)\} = \alpha \pm \beta$
- $\lim\limits_{x \to \infty} ku(x) = k\alpha$ (단, k는 상수)
- $\lim\limits_{x \to \infty} u(x)v(x) = \alpha\beta$
- $\lim\limits_{x \to \infty} \dfrac{u(x)}{v(x)} = \dfrac{\alpha}{\beta}$ (단, $\beta \neq 0$)

[문제 3-1] 직선 $x+2y+1=0$과 직선 $2x+y-2=0$에 동시에 접하고 점 $(-2, 3)$을 통과하는 원은 두 개 있다. 이 두 원의 교점을 연결한 선분의 길이를 구하시오. [10점]

[문제 3-2] 원 $x^2+(y-t)^2=2 (t \geq \sqrt{2})$는 그림과 같이 $\dfrac{|x|}{a}+\dfrac{y}{b}=1 (a>0, \ b>t+\sqrt{2})$의 그래프와 두 점에서 접한다. a를 b와 t로 표현하시오. 이를 이용하여 $\dfrac{|x|}{a}+\dfrac{y}{b}=1$의 그래프와 x축으로 둘러싸인 삼각형의 넓이가 최소가 되도록 하는 b에 의해 결정되는 삼각형의 넓이를 $A(t)$라 할 때, 극한 $\lim\limits_{t \to \infty} \dfrac{A(t)}{t}$의 값을 구하시오. [15점]

【문제 1】 이 답안 영역에는 1번 문항에 대한 답을 작성하시오.

【문제 2】 이 답안 영역에는 2번 문항에 대한 답을 작성하시오.

이 줄 아래에 답안을 작성하거나 낙서할 경우 판독이 불가능하여 채점 불가

104

【문제 3】 이 답안 영역에는 3번 문항에 대한 답을 작성하시오.

【문제 4】 이 답안 영역에는 4번 문항에 대한 답을 작성하시오.

답안작성란 밖에 작성된 내용은 채점 대상에서 제외

15. 2020학년도 중앙대 수시 논술 [자연 Ⅰ]

[문제 1] 다음과 같은 방식으로 주사위 두 개를 붙여서 새로운 주사위를 만든다

- 일반적인 정육면체 모양의 주사위는 서로 마주보고 있는 면의 눈의 수의 합이 항상 7이고 다음 그림과 같이 면이 구성되어 있다.

- 위와 같은 모양의 주사위 두 개를 눈의 수가 6인 면끼리 붙여서 직육면체 모양의 주사위 하나를 만든다. 다음은 새롭게 만들 수 있는 주사위 중 한 가지 예시를 보여준다.

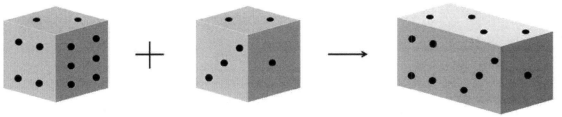

- 새로운 주사위 한 면의 눈의 수는 그 면에 있는 모든 눈의 수의 합과 같고, 각 면이 나올 확률은 면적에 비례한다고 가정한다.

위의 방식에 따라 새롭게 만들 수 있는 모든 종류의 주사위 중 하나를 임의로 선택하여 한 번 던져서 나오는 눈의 수가, 일반적인 정육면체 모양의 주사위를 한 번 던져서 나오는 눈의 수보다 작거나 같을 확률을 구하시오. [20점]

[문제 2] 다음을 읽고 문제에 답하시오.

- $g(x) = t$로 놓을 때, $g(x)$가 미분 가능하면 $\int f(g(x))g'(x)dx = \int f(t)dt$이다.

- 두 함수 $f(x)$, $g(x)$에 대하여 $\lim\limits_{x \to a} f(x) = L$, $\lim\limits_{x \to a} g(x) = M$($L$, M은 상수)일 때, 다음이 성립한다.

$$\lim_{x \to a} \frac{f(x)}{g(x)} = \frac{\lim\limits_{x \to a} f(x)}{\lim\limits_{x \to a} g(x)} = \frac{L}{M} \quad (M \neq 0)$$

[문제 2-1] $g(t) = e^{t^2}\left(t^2 + 3t + \dfrac{5}{2}\right)$에 대하여 함수 $f(x)$를 다음과 같이 정의하자.

$$f(x) = e^{-\int_1^x \frac{g'(t)}{g(t)} dt}$$

이때 함수 $h(x) = \displaystyle\int_1^x f(t)f'(t)\sqrt{\{f(t)\}^2 + 1}\, dt$의 최댓값을 구하시오. [10점]

[문제 2-2] $\lim\limits_{x \to 1} \dfrac{x^3 + x^2 - a}{(a-x)(x+1-a)} = b$를 만족하는 실수 a, b에 대하여, $a + b^2$의 최댓값, 최솟값을 구하시오. (단, $\dfrac{3}{2} \leq a \leq 3$이다.) [15점]

[문제 3] 다음을 읽고 문제에 답하시오.

- 구간 $[a, b]$에서 $f(x) \geq g(x)$일 때, 두 곡선 $y = f(x)$와 $y = g(x)$ 및 두 직선 $x = a$, $x = b$로 둘러싸인 도형의 넓이는 다음과 같다.

$$\int_a^b \{f(x) - g(x)\}dx$$

- 좌표공간에서 x, y, z에 대한 방정식 $ax + by + cz + d = 0$은 벡터 $\vec{n} = (a, b, c)$에 수직인 평면을 나타낸다.

[문제 3-1] 어떤 양의 실수 a에 대하여, $x \geq 0$에서 정의된 두 곡선 $y = e^x$과 $y = a\sin x$가 오직 한 점에서 만난다. 이때 두 곡선 $y = e^x$과 $y = a\sin x$및 y축으로 둘러싸인 도형의 넓이를 구하시오. [10점]

[문제 3-2] 좌표공간에 구 $S: (x-1)^2 + (y-1)^2 + (z-1)^2 = 1$이 있고, x축 위의 점 P$(a, 0, 0)$, y축 위의 점 Q$(0, 2a, 0)$, z축 위의 점 R$(0, 0, b)$가 있다. 삼각형 PQR가 구 S와 접할 때, 좌표 공간의 원점과 P, Q, R를 꼭짓점으로 하는 삼각뿔의 부피가 최소가 되는 a의 값을 구하시오. (단, $a > 3$이고 $b > 0$이다.) [15점]

【문제 1】 이 답안 영역에는 1번 문항에 대한 답을 작성하시오.

【문제 2】 이 답안 영역에는 2번 문항에 대한 답을 작성하시오.

이 줄 아래에 답안을 작성하거나 낙서할 경우 판독이 불가능하여 채점 불가

【문제 3】 이 답안 영역에는 3번 문항에 대한 답을 작성하시오.

【문제 4】 이 답안 영역에는 4번 문항에 대한 답을 작성하시오.

답안작성란 밖에 작성된 내용은 채점 대상에서 제외

16. 2020학년도 중앙대 수시 논술 [자연 Ⅱ]

[문제 1] 각기 다른 3개의 과제 A, B, C가 있다. 과제의 우선순위는 A가 B보다, B가 C 보다 높아서 이를 고려하여 다음과 같은 방식으로 4명의 학생을 과제에 배정하려고 한다.

과제명 A가 쓰여 있는 공 2개와 과제명이 쓰여 있지 않은 공 4개가 들어 있는 주머니를 준비한다. 다음과 같은 규칙에 따라 학생들은 모두 차례대로 한 명씩 주머니에 있는 공을 한 개 뽑아서 과제에 배정된다.

- 과제명이 쓰여 있는 공을 뽑으면 그 과제에 배정되며, 이때 주머니에서 과제명이 쓰여 있지 않은 공 하나를 꺼내 배정된 과제명을 적은 후, 뽑은 공과 함께 다시 주머니에 집어넣는다. 따라서 주머니에 있는 공의 수는 6개로 유지된다.

- 과제명이 쓰여 있지 않은 공을 뽑았을 때 아직 학생이 배정되지 않은 과제가 있으면, 그 중에서 우선순위가 더 높은 과제에 배정되며, 이때 뽑은 공에 배정된 과제명을 적은 후 다시 주머니에 집어넣는다. 따라서 주머니에 있는 공의 수는 6개로 유지된다.

- 과제명이 쓰여 있지 않은 공을 뽑았을 때 이미 모든 과제에 학생이 배정되어 있으면, 세 과제 중 하나에 임의로 배정된다.

위의 방식에 따라 4명의 학생이 과제에 배정될 때, 3개의 과제 A, B, C 모두에 학생이 배정될 확률을 구하시오. [20점]

[문제 2] 다음을 읽고 문제에 답하시오.

- x의 함수 y가 음함수 $f(x,\ y)=0$의 꼴로 주어져 있을 때에는 y를 x의 함수로 보고 각 항을 x에 대하여 미분한 후에 $\dfrac{dy}{dx}$를 구한다.
- 미분가능한 두 함수 $f(x),\ g(x)$에 대하여 다음이 성립한다.
$$\int f(x)g'(x)dx=f(x)g(x)-\int f'(x)g(x)dx$$

[문제 2-1] x에 대한 방정식 $4x^3-6(t+1)x^2+7t^2+1=0$이 세 실근 $f(t),\ g(t),\ h(t)$를 가진다. $\displaystyle\int_0^1 tg''(t)dt$를 구하시오. (단, $-\dfrac{1}{8}<t<\dfrac{9}{8}$이고 $f(t)<g(t)<h(t)$이다.) [10점]

[문제 2-2] 모든 자연수 k에 대하여 다음을 만족시키는 함수 $p(x)=ax^3+bx^2+cx+d$를 구하시오. (단, $a,\ b,\ c,\ d$는 실수이다.) [15점]
$$\int_0^\pi (k^2 p(x)+4)\sin kx\,dx=0$$

112

[문제 3] 다음을 읽고 문제에 답하시오.

- 수열 a_1, a_2, a_3, $\cdots a_n$, $\cdots$이 첫째항 a_1에서 시작하여 차례대로 일정한 수 d를 더하여 얻은 수열일 때, 이 수열을 등차수열이라고 하고, 그 일정한 수 d를 공차라고 한다.
- 평면 위의 두 점 F, F′으로부터의 거리의 합이 일정한 점들의 집합을 타원이라고 하며, 두 점 F, F′을 타원의 초점이라고 한다.

[문제 3-1] 등차수열 $\{a_n\}$, $\{b_n\}$이 다음 조건을 만족시킬 때, a_{254}의 값을 구하시오. (단, $\{a_n\}$의 공차는 양의 실수이다.) [10점]

(가) $a_{2n} - b_n = 3(n = 1,\ 2,\ 3,\ \cdots)$

(나) $b_1 = 756$

(다) $\displaystyle\sum_{n=1}^{11} a_{n^2} = \sum_{n=1}^{11} (b_n - a_n)^2$

[문제 3-2] 점 P가 좌표평면의 원점에 있고 점 $\mathrm{Q}(2t,\ 0)$가 x축 위에 있다. $\overline{\mathrm{PR}} + \overline{\mathrm{RQ}} = 20$ 이고, 각 PRQ가 $\dfrac{\pi}{3}$가 되는 제 1사분면 위의 점들 중 x좌표가 가장 큰 점을 $\mathrm{R}(x(t),\ y(t))$라 하자. $t = 2\sqrt{7}$일 때, 점 R에서의 접선의 기울기를 구하시오. [15점]

【문제 1】 이 답안 영역에는 1번 문항에 대한 답을 작성하시오.

【문제 2】 이 답안 영역에는 2번 문항에 대한 답을 작성하시오.

이 줄 아래에 답안을 작성하거나 낙서할 경우 판독이 불가능하여 채점 불가

【문제 3】 이 답안 영역에는 3번 문항에 대한 답을 작성하시오.

【문제 4】 이 답안 영역에는 4번 문항에 대한 답을 작성하시오.

답안작성란 밖에 작성된 내용은 채점 대상에서 제외

17. 2020학년도 중앙대 모의 논술

[문제 1] 영희는 두 단계로 구성된 게임에 다음과 같은 규칙에 따라 참여한다.

단계 I
동전 두 개를 동시에 던져서 둘 다 앞면이 나오면 1, 둘 다 뒷면이 나오면 2, 그렇지 않으면 3의 값을 얻고 단계 II로 넘어간다.
단계 II
동전 네 개를 동시에 던져서 앞면과 뒷면의 개수가 다르면 단계 I에서 나온 값의 제곱을 최종 점수로 얻고 게임은 종료되며, 그렇지 않으면 단계 II를 반복한다.

위의 규칙에 따라 영희가 게임에 참여할 때 얻을 수 있는 최종 점수의 기댓값을 구하시오. (단, 기댓값은 분수로 제시하거나 소수점 아래 둘째 자리에서 반올림하여 제시한다.)
[20점]

[문제 2] 다음을 읽고 문제에 답하시오.

- 두 함수 $f:X{\to}Y$, $g:Y{\to}Z$에 대하여 X의 각 원소 x에 Z의 원소 $g(f(x))$를 대응시켜 X를 정의역, Z를 공역으로 하는 새로운 함수를 정의할 수 있다. 이 새로운 함수를 f와 g의 합성함수라 하고, 기호로 $g{\circ}f:X{\to}Z$와 같이 나타낸다.

- $a>0$, $a\neq1$, $N>0$일 때 다음이 성립한다.
$$a^x=N \Leftrightarrow x=\log_a N$$

- 미분가능한 두 함수 $f(x)$, $g(x)$에 대하여 다음이 성립한다.
$$\int f(x)g'(x)dx = f(x)g(x) - \int f'(x)g(x)dx$$

[문제 2-1] 함수 $f(x)=\dfrac{cx+1}{dx+1}$에 대하여 $(f{\circ}f{\circ}f)(x)=x$을 만족하는 실수 x가 무한히 많이 있다. 이때 d의 최댓값을 구하시오. (단, c, d는 실수이다.) [10점]

[문제 2-2] $0<x<1$에서 정의된 함수 $g(x)=\displaystyle\int_1^x \sin(\ln t)dt$에 대하여, $g(x)$가 극값을 가지는 점들의 집합을 A라고 하자. A의 원소들을 큰 순서대로 모두 나열한 수열을 $\{a_n\}$이라고 할 때, $\displaystyle\sum_{n=1}^{\infty}\left(g(a_n)-\dfrac{1}{2}\right)$의 값을 구하시오. [15점]

[문제 3] 다음을 읽고 문제에 답하시오.

- 직선 $y = mx + n (m \neq 0)$이 양의 방향의 x축과 이루는 각의 크기를 θ라고 하면 $\tan\theta = m$이다.

- 두 직선 $y = m_1 x + n_1$, $y = m_2 x + n_2$가 서로 수직이면 $m_1 m_2 = -1$이다.

- 0과 π사이의 각 α와 β에 대하여 다음 식이 성립한다.

$$\tan(\alpha - \beta) = \frac{\tan\alpha - \tan\beta}{1 + \tan\alpha\tan\beta}$$

$$\left(\text{단, } \alpha \neq \frac{\pi}{2}, \ \beta \neq \frac{\pi}{2}, \ \tan\alpha\tan\beta \neq -1 \right)$$

- 함수 $f(x)$가 $x = c$에서 미분가능할 때, 곡선 $y = f(x)$위의 점 $(c, f(c))$에서의 접선의 방정식은 $y - f(c) = f'(c)(x - c)$이다.

- 함수 $g(x)$가 구간 $[u, v]$에서 연속이고 $g(x) \geq 0$이면 정적분 $\int_u^v g(x)dx$는 곡선 $y = g(x)$와 두 직선 $x = u$, $x = v$ 및 x축으로 둘러싸인 도형의 넓이를 나타낸다.

[문제 3-1] 포물선 $y = b - ax^2 (b > 2)$가 원 $x^2 + y^2 - 2y = 0$에 외접하도록 두 실수 a, b를 정할 때, 이 포물선과 x축으로 둘러싸인 영역의 넓이를 a로 표현하고 그 넓이의 최솟값을 구하시오. [10점]

[문제 3-2] 포물선 $y = 3 - x^2$ 위의 점 A는, 점 A에서 그은 접선 위의 한 점 B와 점 C($-\sqrt{3}$, 0)과 함께 정삼각형 ABC를 이룬다. 두 점 A, B의 쌍을 모두 찾아 좌표를 제시하시오. [15점]

【문제 1】 이 답안 영역에는 1번 문항에 대한 답을 작성하시오.

【문제 2】 이 답안 영역에는 2번 문항에 대한 답을 작성하시오.

이 줄 아래에 답안을 작성하거나 낙서할 경우 판독이 불가능하여 채점 불가

【문제 3】 이 답안 영역에는 3번 문항에 대한 답을 작성하시오.

【문제 4】 이 답안 영역에는 4번 문항에 대한 답을 작성하시오.

답안작성란 밖에 작성된 내용은 채점 대상에서 제외

VI. 예시 답안

1. 2024학년도 중앙대 수시 논술 (자연 Ⅰ)

[문제 1]

시행의 결과로 얻은 점수의 기댓값을 구하시오. [20점]

> (1) 한 개의 주사위를 한 번 던져서 나온 눈의 수가 3의 배수일 확률은 $\frac{1}{3}$이다. 이때 주머니 A에서 임의로 2개의 공을 동시에 꺼낼 때 적힌 숫자들의 표본공간은 $\{(1, 2), (1, 3), (2, 3)\}$이고, 각 경우가 발생할 확률은 $\frac{1}{3}$이다. 주머니 B에서 임의로 1개의 공을 꺼낼 때 적힌 숫자들의 표본공간은 $\{1, 2\}$이고, 각 경우의 확률은 $\frac{1}{2}$이다. 예를 들어, 주머니 A에서 꺼낸 공이 $(1, 2)$이고, 주머니 B에서 꺼낸 공이 1일 때 확률은 $\frac{1}{3} \times \frac{1}{3} \times \frac{1}{2} = \frac{1}{18}$이고, 공에 적힌 숫자들의 합 k는 4이다.
>
> (2) 주사위의 눈의 수가 3의 배수가 아닐 확률은 $\frac{2}{3}$이다. 이때 주머니 A에서 임의로 1개의 공을 꺼낼 때 적힌 숫자들의 표본공간은 $\{1, 2, 3\}$이고 각 경우의 확률은 $\frac{1}{3}$이고, 주머니 B에서 2개의 공을 동시에 꺼낼 때 적힌 숫자들의 표본공간은 $\{(1, 2)\}$이고 그때의 확률은 1이다. 예를 들어, 주머니 A에서 꺼낸 공이 1이고, 주머니 B에서 꺼낸 공이 $(1, 2)$일 때 확률은 $\frac{2}{3} \times \frac{1}{3} \times 1 = \frac{2}{9}$이고, 공에 적힌 숫자들의 합 k는 4이다.
>
> (3) 위와 같은 방식으로 얻은 시행의 결과는 다음과 같다.
>
> | 주사위의 눈의 수 | 주머니 A에서 꺼낸 공 | 주머니 B에서 꺼낸 공 | k | 확률 |
> |---|---|---|---|---|
> | 3의 배수인 경우 | (1, 2) | 1 | 4 | $\frac{1}{3} \times \frac{1}{3} \times \frac{1}{2} = \frac{1}{18}$ |
> | | | 2 | 5 | $\frac{1}{3} \times \frac{1}{3} \times \frac{1}{2} = \frac{1}{18}$ |
> | | (1, 3) | 1 | 5 | $\frac{1}{3} \times \frac{1}{3} \times \frac{1}{2} = \frac{1}{18}$ |
> | | | 2 | 6 | $\frac{1}{3} \times \frac{1}{3} \times \frac{1}{2} = \frac{1}{18}$ |
> | | (2, 3) | 1 | 6 | $\frac{1}{3} \times \frac{1}{3} \times \frac{1}{2} = \frac{1}{18}$ |
> | | | 2 | 7 | $\frac{1}{3} \times \frac{1}{3} \times \frac{1}{2} = \frac{1}{18}$ |
> | 3의 배수가 아닌 경우 | 1 | (1, 2) | 4 | $\frac{2}{3} \times \frac{1}{3} \times 1 = \frac{2}{9}$ |

| | 2 | | 5 | $\frac{2}{3} \times \frac{1}{3} \times 1 = \frac{2}{9}$ |
| | 3 | | 6 | $\frac{2}{3} \times \frac{1}{3} \times 1 = \frac{2}{9}$ |

(4) 반지름의 길이가 $k-3$인 원기둥의 높이는 그림 1에서 도형의 닮음을 이용하면 $(16-2k)$로 계산할 수 있고, 원기둥의 부피는 $(k-3)^2(16-2k)\pi$이다.

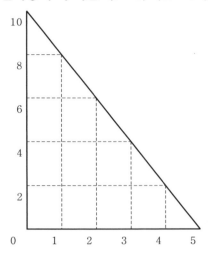

그림 2

(5) $k=4$일 때의 확률은 $\frac{1}{18} + \frac{2}{9} = \frac{5}{18}$이고, 이때 원기둥의 반지름의 길이는 1, 높이는 8, 부피는 8π이다.

(6) $k=5$일 때의 확률은 $\frac{1}{18} + \frac{1}{18} + \frac{2}{9} = \frac{6}{18}$이고, 이때 반지름의 길이는 2, 높이는 6, 부피는 24π이다.

(7) $k=6$일 때의 확률은 $\frac{1}{18} + \frac{1}{18} + \frac{2}{9} = \frac{6}{18}$이고, 이때 반지름의 길이는 3, 높이는 4, 부피는 36π이다.

(8) $k=7$일 때의 확률은 $\frac{1}{18}$이고, 이때 반지름의 길이는 4, 높이는 2, 부피는 32π이다.

(9) 시행의 결과는 다음과 같고, 이를 이용하여 점수의 기댓값을 계산할 수 있다.

k	확률	원기둥 밑면의 반지름	원기둥의 높이	원기둥의 부피
4	$\frac{5}{18}$	1	8	8π
5	$\frac{6}{18}$	2	6	24π
6	$\frac{6}{18}$	3	4	36π
7	$\frac{1}{18}$	4	2	32π

$$\text{기댓값} = \left(\frac{5}{18} \times 8\pi\right) + \left(\frac{6}{18} \times 24\pi\right) + \left(\frac{6}{18} \times 36\pi\right) + \left(\frac{1}{18} \times 32\pi\right)$$

$$= \frac{\pi}{18}\{(5 \times 8) + (6 \times 24) + (6 \times 36) + (1 \times 32)\}$$

$$= \frac{432}{18}\pi = \frac{216}{9}\pi = 24\pi$$

[문제 2]

[문제 2−1] 다음 식의 값을 구하시오. [10점]

$$\sum_{k=2}^{9}\left(k^{\frac{k\ln 2}{\ln k}} - 2^{\frac{2\ln k}{\ln 2}}\right)$$

로그함수의 성질을 이용하여

$$k^{\frac{k\ln 2}{\ln k}} = k^{\frac{\ln 2^k}{\ln k}} = k^{\log_k k^k} = 2^k, \quad 2^{\frac{2\ln k}{\ln 2}} = 2^{\frac{\ln k^2}{\ln 2}} = 2^{\log_2 k^2} = k^2$$

로 정리한 후, 아래와 같이 등비수열의 합과 자연수의 거듭제곱의 합에 대한 식을 이용하여 답을 구한다.

$$\sum_{k=2}^{9} 2^k - \sum_{k=2}^{9} k^2 = \sum_{k=2}^{9} 2^k - \left(\sum_{k=1}^{9} k^2\right) + 1 = \frac{4(2^8 - 1)}{2 - 1} - \frac{9 \cdot 10 \cdot 19}{6} + 1$$

$$= 1020 - 285 + 1 = 736$$

[문제 2−2] 좌표평면에서 직선 $x=1$ 위를 움직이는 점 $A(1, y_1)$과 x축 위를 움직이는 점 $B(x_1, 0)$의 시각 t에서의 위치는 두 함수 $x_1 = f(t)$, $y_1 = g(t)$로 나타내어질 수 있다. 두 점 $A(1, g(t))$, $B(f(t), 0)$은 시각 $t=0$일 때 $(1, 0)$에서 출발한 후, $0 < t \le \frac{\pi}{4}$일 때 원점 O에 대하여 $\angle AOB = t$이고 $\angle OAB = \frac{2\pi}{3}$를 만족하며 움직인다고 하자. 이때, 극한값 $\displaystyle\lim_{n \to \infty} \frac{1}{n}\sum_{k=1}^{n} f\left(\frac{\pi k}{6n}\right)$를 구하시오. (단, $x_1 \ge 1$, $y_1 \ge 0$이다.) [15점]

우선 주어진 문제의 조건으로부터 $f(t) = 1 + (\tan t)\left\{\tan\left(t + \frac{\pi}{6}\right)\right\}$를 구한 후, 정적분과 급수의 합 사이의 관계를 이용하여 극한값을 $\displaystyle\frac{6}{\pi}\int_0^{\frac{\pi}{6}}\left[1 + (\tan x)\left\{\tan\left(x + \frac{\pi}{6}\right)\right\}\right]dx$로 표현한다. 그리고 제시문에 주어진 탄젠트 함수의 덧셈정리를 이용하여

$$\lim_{n \to \infty} \frac{1}{n}\sum_{k=1}^{n} f\left(\frac{\pi k}{6n}\right) = \frac{6}{\pi}\int_0^{\frac{\pi}{6}} \frac{\tan\left(x + \frac{\pi}{6}\right) - \tan x}{\tan\frac{\pi}{6}}dx = \frac{6\sqrt{3}}{\pi}\int_0^{\frac{\pi}{6}}\left\{\tan\left(x + \frac{\pi}{6}\right) - \tan x\right\}dx$$

를 얻는다. 치환적분을 하면 $\tan x$의 부정적분이 $-\ln(\cos x) + C$임을 알 수 있는데, 이를

$$\frac{6\sqrt{3}}{\pi}\left\{-\ln\left(\cos\frac{\pi}{3}\right)+\ln\left(\cos\frac{\pi}{6}\right)+\ln\left(\cos\frac{\pi}{6}\right)-\ln(\cos0)\right\}=\frac{6\sqrt{3}}{\pi}\ln\frac{3}{2}$$

[문제 3]

[문제 3-1] $x\geq0$에서 정의된 곡선 $y=\dfrac{x}{x^2+1}\left(\{\ln(x^2+1)\}^2-6\ln(x^2+1)+5\right)$와 x축으로 둘러싸인 도형의 넓이를 구하시오. [10점]

[문제 3-1]

$f(x)=\dfrac{x}{x^2+1}(\ln(x^2+1)-1)(\ln(x^2+1)-5)$라　　하자.　　$x=0,\ \sqrt{e-1},\ \sqrt{e^5-1}$에서 $f(x)=0$이다. $0\leq x\leq\sqrt{e-1}$에서 $f(x)\geq0$이고 $\sqrt{e-1}\leq x\leq\sqrt{e^5-1}$에서 $f(x)\leq0$이므로 구하는 넓이는 $\displaystyle\int_0^{\sqrt{e-1}}f(x)dx-\int_{\sqrt{e-1}}^{\sqrt{e^5-1}}f(x)dx$이다. $t=\ln(x^2+1)$로 치환하여 적분하면

$$\frac{1}{2}\int_0^1(t^2-6t+5)dt-\frac{1}{2}\int_1^5(t^2-6t+5)dt=\frac{7}{6}+\frac{16}{3}=\frac{13}{2}$$

이다.

[문제 3-2] 좌표평면 위에 점 A(-1, 0), B(1, 0)이 있다. 구간 $-1\leq x\leq1$에서 정의된 곡선 $y=\sqrt{x+2}$ 위의 점 P에 대하여 $\theta=\angle\mathrm{APB}$라 할 때, $\tan^2\theta$의 최댓값을 구하시오. [15점]

점 P의 좌표는 $(t,\ \sqrt{t+2})$라 하자.

$\angle\mathrm{PAB}=\alpha,\ \angle\mathrm{PBA}=\beta$라 하면 $\tan\alpha=\dfrac{\sqrt{t+2}}{1+t},\ \tan\beta=\dfrac{\sqrt{t+2}}{1-t}$이다. $\theta=\pi-\alpha-\beta$이므로

$\tan(\theta)=f(t)$라 하면 $f(t)=\dfrac{2\sqrt{t+2}}{t^2+t+1}$이다. 미분하면

$f'(t)=-\dfrac{3(t^2+3t+1)}{(t^2+t+1)^2\sqrt{t+2}}$이다. $t=\dfrac{-3\pm\sqrt{5}}{2}$에서 극값을 갖고

$\dfrac{-3-\sqrt{5}}{2}<-1<\dfrac{-3+\sqrt{5}}{2}<1$이므로 $t=\dfrac{-3+\sqrt{5}}{2}$에서 최댓값을 갖는다.

$\tan^2\theta$의 최댓값은 $\left\{f\left(\dfrac{-3+\sqrt{5}}{2}\right)\right\}^2=\dfrac{11+5\sqrt{5}}{2}$이다.

[문제 4]

[문제 4-1] 그림과 같이 모든 모서리의 길이가 2인 정삼각기둥에서 두 선분 AC, BE의 중점을 각각 M, N이라 하고, 두 선분 MN, CN의 중점을 각각 P, Q라 하자. 삼각형 PFQ의 외접원의 반지름의 길이를 구하시오. [15점]

$$\overline{\mathrm{PQ}}=\frac{1}{2}\overline{\mathrm{MC}}=\frac{1}{2}$$

직각삼각형 MBN에서 $\overline{MN}=\sqrt{\overline{MB^2}+\overline{BN^2}}=\sqrt{3+1}=2$이다. 직각삼각형 FCM과 NEF에서 $\overline{MF}=\sqrt{\overline{MC^2}+\overline{FC^2}}=\sqrt5$와 $\overline{NF}=\sqrt{\overline{NE^2}+\overline{EF^2}}=\sqrt5$이므로 삼각형 FMN은 이등변삼각형이고 삼각형 MPF는 직각삼각형이다. 직각삼각형 MPF에서

$$\overline{PF}=\sqrt{\overline{MF^2}-\overline{MP^2}}=2$$

점 Q에서 선분 EF에 내린 수선의 발을 R이라 할 때, $\overline{QR}=\dfrac{3}{2}$이고 삼각형 QRF는 직각삼각형이므로

$$\overline{QF}=\sqrt{\overline{QR^2}+\overline{RF^2}}=\frac{\sqrt{13}}{2}$$

$\theta=\angle QPF$라 하면 삼각형 QPF에서 코사인법칙에 의하여

$$\cos\theta=\frac{\dfrac{1}{4}+4-\dfrac{13}{4}}{2\times\dfrac{1}{2}\times2}=\frac{1}{2}$$ 이므로 $\sin\theta=\dfrac{\sqrt{3}}{2}$ 이다.

이다. 외접원의 반지름의 길이를 R라 하면 사인법칙에 의하여

$$2R=\frac{\dfrac{\sqrt{13}}{2}}{\dfrac{\sqrt{3}}{2}}=\frac{\sqrt{13}}{\sqrt{3}}$$ 이므로 $R=\dfrac{\sqrt{13}}{2\sqrt{3}}=\dfrac{\sqrt{39}}{6}$

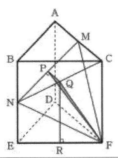

[문제 4-2] 아래의 그림과 같이 포물선 $y^2=4x$의 초점 F$(1,\ 0)$을 지나고 $m>0$인 직선 $y=m(x-1)$이 서로 다른 두 점 P, Q에서 포물선과 만난다. 두 점 P, Q에서 준선 $x=-1$에 내린 수선의 발을 각각 P$'$, Q$'$이라 하자. 사각형 PP$'$Q$'$Q의 둘레의 길이가 40일 때, 이 사각형의 넓이를 구하시오. [15점]

$y^2=4x$에 $y=m(x-1)$을 대입하고 정리하여 얻은 이차방정식

$m^2x^2-2(m^2+2)x+m^2=0$의 두 근을 α, β라 하면 $\alpha+\beta=\dfrac{2(m^2+2)}{m^2}$이다.

$$\overline{PQ}=\overline{PF}+\overline{FQ}=\overline{PP'}+\overline{QQ'}=(\alpha+1)+(\beta+1)=\frac{4(m^2+1)}{m^2}$$

점 P에서 직선 QQ$'$에 내린 수선의 발을 R이라 하고 각 PQR을 θ라 하면,

$$\overline{P'Q'} = \sqrt{\frac{m^2}{m^2+1}}\,\overline{PQ} = 4\sqrt{\frac{m^2+1}{m^2}}$$

사각형 PP'Q'Q의 둘레의 길이

$$= \overline{PQ} + \overline{PP'} + \overline{QQ'} + \overline{P'Q'} = 2\overline{PQ} + \overline{P'Q'} = \frac{8(m^2+1)}{m^2} + 4\sqrt{\frac{m^2+1}{m^2}} = 40$$

$r = \sqrt{\dfrac{m^2+1}{m^2}}$ 라 놓고 얻은 이차방정식 $8r^2 + 4r = 40$에서 $r > 0$이므로

$$r = \sqrt{\frac{m^2+1}{m^2}} = 2$$

따라서 $m^2 = \dfrac{1}{3}$ 이고

사각형 PP'Q'Q의 넓이 $= \dfrac{1}{2}\overline{P'Q'} \cdot (\overline{PP'} + \overline{QQ'}) = \dfrac{1}{2}\overline{P'Q'} \cdot \overline{PQ} = \dfrac{1}{2} \cdot 8 \cdot 16 = 64$

2. 2024학년도 중앙대 수시 논술 (자연 II)

[문제 1] 좌표평면의 원점 O에 있는 점 A는 다음과 같은 규칙에 따라 이동한다.
두 점 $A_2(x_1, y_1)$, P(12, 0)사이의 거리가 $|x_1|$보다 작을 확률을 구하시오. [20점]

(1) 선분의 내분점과 외분점은 다음과 같이 정의된다.

- **좌표평면 위의 두 점** $A(x_1, y_1)$, $B(x_2, y_2)$**를 이은 선분 AB를** $m:n$**으로 내분하는 점**

의 좌표는 $\left(\dfrac{mx_2 + nx_1}{m+n}, \dfrac{my_2 + ny_1}{m+n}\right)$**이다.** $(m > 0, \ n > 0)$

- **선분** AB**를** $m:n$**으로 외분하는 점의 좌표는** $\left(\dfrac{mx_2 - nx_1}{m-n}, \dfrac{my_2 - ny_1}{m-n}\right)$**이다.**

$(m > 0, \ n > 0, \ m \neq n)$

(2) 일반적으로 (m, n)**인 경우** $A_1(x_1, 0)$**과** $A_2(x_1, y_1)$**은 다음과 같이 계산할 수 있다.**

선분OP	$A_1(x_1, 0)$	확률	선분A_1Q	$A_2(x_1, y_1)$	확률
$m:1$로 내분	$\left(\dfrac{12m}{m+1}, 0\right)$	$\dfrac{1}{m}$	$1:n$으로 내분	$\left(x_1, \dfrac{8}{1+n}\right)$	$\dfrac{2}{n}$
$1:m$으로 외분	$\left(\dfrac{12}{1-m}, 0\right)$	$1 - \dfrac{1}{m}$	$n:1$로 외분	$\left(x_1, \dfrac{8n}{n-1}\right)$	$1 - \dfrac{2}{n}$

(3) $m = 2$, $n = 3$**인 경우**

- **선분 OP를** 2:1**로 내분한 점은** (8, 0)**이고,** 1:2**로 외분한 점은** (−12, 0)**이다. 즉, 점**

A**는** $\dfrac{1}{2}$**의 확률로** $A_1(8, 0)$**으로 이동하거나,** $\dfrac{1}{2}$**의 확률로** $A_1(-12, 0)$**으로 이동한다.**

- **점** $A_1(8, 0)$**일 때, 선분** A_1Q**를** 1:3**으로 내분한 점은** (8, 2)**이고,** 3:1**로 외분한 점**

은 (8, 12)**이다. 즉, 점** A_1**은** $\dfrac{2}{3}$**의 확률로** $A_2(8, 2)$**로 이동하거나,** $\dfrac{1}{3}$**의 확률로**

$A_2(8,\ 12)$로 이동한다.

- 점 $A_1(-12,\ 0)$일 때, 점 A_1은 $\dfrac{2}{3}$의 확률로 $A_2(-12,\ 2)$로 이동하거나, $\dfrac{1}{3}$의 확률로 $A_2(-12,\ 12)$로 이동한다.

(4) $m=3$, $n=2$인 경우

- 선분 OP를 $3:1$로 내분한 점은 $(9,\ 0)$이고, $1:3$으로 외분한 점은 $(-6,\ 0)$이다. 즉, 점 A는 $\dfrac{1}{3}$의 확률로 $A_1(9,\ 0)$으로 이동하거나, $\dfrac{2}{3}$의 확률로 $A_1(-6,\ 0)$으로 이동한다.

- 점 $A_1(9,\ 0)$일 때, 선분 A_1Q를 $1:2$로 내분한 점은 $\left(9,\ \dfrac{8}{3}\right)$이고, $2:1$로 외분한 점 은 $(9,\ 16)$이다. 즉, 점 A_1은 1의 확률로 $A_2\left(9,\ \dfrac{8}{3}\right)$로 이동한다.

- 점 $A_1(-6,\ 0)$일 때, 점 A_1은 1의 확률로 $A_2\left(-6,\ \dfrac{8}{3}\right)$로 이동한다.

(5) 모든 경우를 고려하여 계산한 확률은 다음과 같이 나타낼 수 있다.

$m,\ n$	확률	$A_1(x_1,\ 0)$	확률	$A_2(x_1,\ y_1)$	확률	$A \to A_1 \to A_2$일 확률
$m=2$ $n=3$	$\dfrac{1}{2}$	$A_1(8,\ 0)$	$\dfrac{1}{2}$	$A_2(8,\ 2)$	$\dfrac{2}{3}$	$\dfrac{1}{2}\times\dfrac{1}{2}\times\dfrac{2}{3}=\dfrac{1}{6}$
				$A_2(8,\ 12)$	$\dfrac{1}{3}$	$\dfrac{1}{2}\times\dfrac{1}{2}\times\dfrac{1}{3}=\dfrac{1}{12}$
		$A_1(-12,\ 0)$	$\dfrac{1}{2}$	$A_2(-12,\ 2)$	$\dfrac{2}{3}$	$\dfrac{1}{2}\times\dfrac{1}{2}\times\dfrac{2}{3}=\dfrac{1}{6}$
				$A_2(-12,\ 12)$	$\dfrac{1}{3}$	$\dfrac{1}{2}\times\dfrac{1}{2}\times\dfrac{1}{3}=\dfrac{1}{12}$
$m=3$ $n=2$	$\dfrac{1}{2}$	$A_1(9,\ 0)$	$\dfrac{1}{3}$	$A_2\left(9,\ \dfrac{8}{3}\right)$	1	$\dfrac{1}{2}\times\dfrac{1}{3}=\dfrac{1}{6}$
				$A_2(9,\ 16)$	0	0
		$A_1(-6,\ 0)$	$\dfrac{2}{3}$	$A_2\left(-6,\ \dfrac{8}{3}\right)$	1	$\dfrac{1}{2}\times\dfrac{2}{3}=\dfrac{1}{3}$
				$A_2(-6,\ 16)$	0	0

(6) 두 점 A_2와 점 P사이의 거리는 거리 공식을 통해서 다음과 같이 계산할 수 있고, $|x_1|$보다 작은 경우는 $A_2(8,\ 2)$와 $A_2\left(9,\ \dfrac{8}{3}\right)$이며 그때의 확률은 $\dfrac{1}{6}+\dfrac{1}{6}=\dfrac{1}{3}$이다.

$A_2(x_1,\ y_1)$	확률	$|x_1|$	점A_2와 점P사이의 거리	$|x_1|>$거리
$A_2(8,\ 2)$	$\dfrac{1}{6}$	8	$\sqrt{4^2+2^2}=\sqrt{20}$	O
$A_2(8,\ 12)$	$\dfrac{1}{12}$	8	$\sqrt{4^2+12^2}=\sqrt{160}$	X
$A_2(-12,\ 2)$	$\dfrac{1}{6}$	12	$\sqrt{24^2+2^2}=\sqrt{580}$	X

$A_2(-12,\ 12)$	$\dfrac{1}{12}$	12	$\sqrt{24^2+12^2}=\sqrt{720}$	X
$A_2\left(9,\ \dfrac{8}{3}\right)$	$\dfrac{1}{6}$	9	$\sqrt{3^2+\left(\dfrac{8}{3}\right)^2}=\sqrt{\dfrac{145}{9}}$	O
$A_2\left(-6,\ \dfrac{8}{3}\right)$	$\dfrac{1}{3}$	6	$\sqrt{18^2+\left(\dfrac{8}{3}\right)^2}=\sqrt{324+\dfrac{64}{9}}$	X

* 확률이 0인 $A_2(9,\ 16)$과 $A_2(-6,\ 16)$의 경우는 거리 계산에서 제외하였다.

[문제 2]

[문제 2-1] 닫힌구간 $[-1,\ 5]$에서 함수

$$f(x)=\int_{-1}^{x}(t^2+5)\left\{1-2\sin\left(\dfrac{\pi t}{t^2+5}\right)\right\}dt$$

의 최댓값을 구하시오. [10점]

[문제 2-2] 좌표평면 위를 움직이는 점 P의 시각 t에서의 좌표 $(x,\ y)$가

$$x=\dfrac{1}{\sqrt{3}}\cos t,\quad y=\sqrt{3}\ln\left(1+\dfrac{\sin^2 t}{8}\right)$$

일 때, 시각 $t=0$에서 $t=\pi$까지 점 P가 움직인 거리를 구하시오. [15점]

[문제 2-1]

$f'(x)=(x^2+5)\left\{1-2\sin\left(\dfrac{\pi x}{x^2+5}\right)\right\}$이므로

$f(x)$는 $\dfrac{\pi x}{x^2+5}=\dfrac{\pi}{6}+2n\pi$, $\dfrac{\pi x}{x^2+5}=\dfrac{5\pi}{6}+2n\pi$일 때, 극값을 가질 수 있다.

하지만 $f'(0)\neq 0$이고, $x\neq 0$일 때 $\left|\dfrac{\pi x}{x^2+5}\right|=\dfrac{\pi}{|x|+\dfrac{5}{|x|}}\leq\dfrac{\pi}{2\sqrt{5}}<\dfrac{\pi}{4}$이므로, $\dfrac{\pi x}{5+x^2}=\dfrac{\pi}{6}$

인 경우, 즉 $x=1,\ 5$일 때 극값을 가진다.

도함수 $f'(x)$의 부호를 조사하기 위해, $g(x)=1-2\sin\left(\dfrac{\pi x}{x^2+5}\right)$라 정의하고 이 함수의

도함수 $g'(x)=2\cos\left(\dfrac{\pi x}{x^2+5}\right)\dfrac{\pi(x^2-5)}{(x^2+5)^2}$를 구한다. 이로부터 $g(x)$가 구간 $(-1,\ \sqrt{5})$에서

감소하고, 구간 $(\sqrt{5},\ 5)$에서는 증가한다는 것을 알 수 있다. 그런데 $g(1)=g(5)=0$이므로, 구간 $(-1,\ 1)$에서 $g(x)>0$이고 $f(x)$는 증가하며, 구간 $(1,\ 5)$에서는 $g(x)<0$이고 $f(x)$는 감소한다. 따라서 $x=1$일 때 $f(x)$는 최댓값을 가진다.

마지막으로 $(x^2+5)\sin\left(\dfrac{\pi x}{x^2+5}\right)$의 그래프의 형태를 생각해보면 정적분

$$\int_{-1}^{1}(x^2+5)\sin\left(\dfrac{\pi x}{x^2+5}\right)dx=0$$

128

이라는 것을 알 수 있다. 따라서, 최댓값은 $f(1) = \int_{-1}^{1}(t^2 + 5)dt = \dfrac{32}{3}$이다.

[문제 2-2]

x와 y를 t에 대해 미분하여

$$\sqrt{\left(\frac{dx}{dt}\right)^2 + \left(\frac{dy}{dt}\right)^2} = \sqrt{\left(-\frac{\sin t}{\sqrt{3}}\right)^2 + \left(\frac{2\sqrt{3}\sin t \cos t}{8 + \sin^2 t}\right)^2}$$

$$= \frac{\sin t}{\sqrt{3}(8 + \sin^2 t)}\sqrt{(8 + \sin^2 t)^2 + 36\cos^2 t} = \frac{\sin t(10 - \sin^2 t)}{\sqrt{3}(8 + \sin^2 t)}$$

를 구한다. 따라서 $u = \cos t$로 치환하여,

$$\int_0^{\pi}\sqrt{\left(\frac{dx}{dt}\right)^2 + \left(\frac{dy}{dt}\right)^2}\,dt = \int_0^{\pi}\frac{\sin t(9 + \cos^2 t)}{\sqrt{3}(9 - \cos^2 t)}\,dt = \int_{-1}^{1}\frac{9 + u^2}{\sqrt{3}(9 - u^2)}\,du = \frac{2}{\sqrt{3}}\int_0^1\frac{9 + u^2}{9 - u^2}\,du$$

$$= \frac{2}{\sqrt{3}}\int_0^1\left(-1 + \frac{3}{3 - u} + \frac{3}{3 + u}\right)du = \frac{2}{\sqrt{3}}(-1 + 3\ln 2)$$

$$= -\frac{2}{\sqrt{3}} + 2\sqrt{3}\ln 2$$

를 구한다.

[문제 3]

[문제 3-1] 수열 $\{a_n\}$의 일반항이 $a_n = \displaystyle\int_0^{\ln(n+1)}(2e^{2x} - e^x)dx$일 때, 다음 식의 값을 구하시오. [10점]

$$\sum_{k=1}^{99}\left(\frac{1}{k} + \frac{1}{k+1} + 1\right)\frac{1}{a_k}$$

정적분하면 $a_n = \displaystyle\int_0^{\ln(n+1)}(2e^{2x} - e^x)dx = \left[e^{2x} - e^x\right]_0^{\ln(n+1)} = n(n+1)$이다.

$\dfrac{1}{a_k} = \dfrac{1}{k(k+1)} = \left(\dfrac{1}{k} - \dfrac{1}{k+1}\right)$이므로 주어진 식의 값은

$$\sum_{k=1}^{99}\left(\frac{1}{k} + \frac{1}{k+1} + 1\right)\frac{1}{a_k} = \sum_{k=1}^{99}\left(\frac{1}{k^2} - \frac{1}{(k+1)^2}\right) + \sum_{k=1}^{99}\left(\frac{1}{k} - \frac{1}{(k+1)}\right) = \frac{9999}{10000} + \frac{99}{100} = \frac{19899}{10000}$$

이다.

[문제 3-2] 좌표평면 위의 세 점 A(5, 0), B(0, 5), P($7\cos\theta$, $7\sin\theta$)에 대하여 $\overline{AP} + \overline{BP}$의 최솟값을 m이라 할 때, m^2의 값을 구하시오. (단, $0 \leq \theta \leq \dfrac{\pi}{2}$이다.) [15점]

함수 $f(\theta)$를 $\overline{AP} + \overline{BP} = f(\theta) = \sqrt{74 - 70\cos\theta} + \sqrt{74 - 70\sin\theta}$라 하자.

$f'(\theta) = \dfrac{35\sin\theta}{\sqrt{74 - 70\cos\theta}} - \dfrac{35\cos\theta}{\sqrt{74 - 70\sin\theta}}$이므로 $f'(\theta) = 0$을 정리하면

$37(\sin^2\theta - \cos^2\theta) - 35(\sin^3\theta - \cos^3\theta) = 0$**이다. 정리하면**

$(\sin\theta - \cos\theta)[37(\sin\theta + \cos\theta) - 35(1 + \sin\theta\cos\theta)] = 0$**이다.**

$\sin\theta - \cos\theta = 0$**일 때,** $\theta = \dfrac{\pi}{4}$**이고** $\sin\theta = \cos\theta = \dfrac{\sqrt{2}}{2}$**이다.**

$37(\sin\theta + \cos\theta) = 35(1 + \sin\theta\cos\theta)$**일 때, 제곱하고** $X = \sin\theta\cos\theta$**로 써서 정리하면**

$$(25 \times 49)X^2 - 288X - 144 = (25X - 12)(49X + 12) = 0$$

이다. 범위가 $0 \le \theta \le \dfrac{\pi}{2}$**이므로** $\sin\theta\cos\theta = \dfrac{12}{25}$**이다.** $\sin\theta + \cos\theta = \dfrac{7}{5}$**와 연립하여 근을**

구하면 $\sin\alpha = \dfrac{3}{5}$**,** $\cos\alpha = \dfrac{4}{5}$**를 만족하는** α**와** $\sin\beta = \dfrac{4}{5}$**,** $\cos\beta = \dfrac{3}{5}$**을 만족하는** β**가 있**

다.

$\theta = 0$**,** α**,** $\dfrac{\pi}{4}$**,** β**,** $\dfrac{\pi}{2}$**에서** $\{f(\theta)\}^2$**값을 계산하자.**

$$\{f(0)\}^2 = \left\{f\left(\frac{\pi}{2}\right)\right\}^2 = 78 + 4\sqrt{74}, \quad \{f(\alpha)\}^2 = \{f(\beta)\}^2 = 98,$$

$\left\{f\left(\dfrac{\pi}{4}\right)\right\}^2 = 296 - 140\sqrt{2}$**이다. 최솟값은 98이다.**

[문제 4]

[문제 4-1] 직선 $y = \sqrt{3}$ 위의 점 $\mathrm{P}(k, \sqrt{3})$에서 타원 $x^2 + \dfrac{y^2}{2} = 1$에 그은 두 접선이 이루는 예각이 $45°$일 때, k^2의 값을 구하시오. [15점]

$k = \pm 1$**인 경우, 두 접선이 이루는 각이** $45°$**가 아님을 쉽게 알 수 있다. 따라서** $k \ne \pm 1$**이라 가정할 수 있다. 접선을** $y = mx \pm \sqrt{m^2 + 2}$**라 놓자. 접선이 점** $\mathrm{P}(k, \sqrt{3})$**을 지나므로 대입하여 정리하여** m**에 대한 이차방정식** $(k^2 - 1)m^2 - 2\sqrt{3}km + 1 = 0$**을 얻는다. 아래 그림과 같이 두 접선이** x**축과 이루는 각을** α**,** $\beta(\alpha > \beta)$**라 하면** $\tan\alpha$**,** $\tan\beta$**는 이 이차방정식의 두 근이고, 근과 계수의 관계에 의하여**

$\tan\alpha + \tan\beta = \dfrac{2\sqrt{3}k}{k^2 - 1}$**과** $\tan\alpha\tan\beta = \dfrac{1}{k^2 - 1}$**이다.** $\alpha - \beta = 45°$**이므로**

$$1 = \tan^2(\alpha - \beta) = \left(\frac{\tan\alpha - \tan\beta}{1 + \tan\alpha\tan\beta}\right)^2$$

$$= \frac{(\tan\alpha + \tan\beta)^2 - 4\tan\alpha\tan\beta}{(1 + \tan\alpha\tan\beta)^2} = \frac{\left(\dfrac{2\sqrt{3}k}{k^2 - 1}\right)^2 - \dfrac{4}{k^2 - 1}}{\left(1 + \dfrac{1}{k^2 - 1}\right)^2}$$

정리하여 방정식 $(k^2)^2 - 8k^2 - 4 = 0$**을 얻는다.** $k^2 > 0$**이므로** $k^2 = 4 + 2\sqrt{5}$

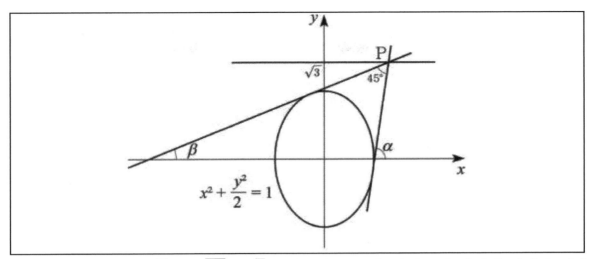

[문제 4-2] 넓이가 $6\sqrt{3}$ 이고 $\overline{AC}=4\sqrt{3}$ 인 삼각형 ABC가 평면 α와 만나지 않게 놓여있다. 평면 α에 수직으로 입사하는 빛에 의한 삼각형 ABC의 그림자가 평면 α위에서 그림과 같이 정삼각형 A′B′C′을 이룬다. $\overline{AA'}+\overline{CC'}=2\overline{BB'}=10$일 때, 삼각형 ABC의 내접원의 그림자의 넓이를 구하시오. [15점]

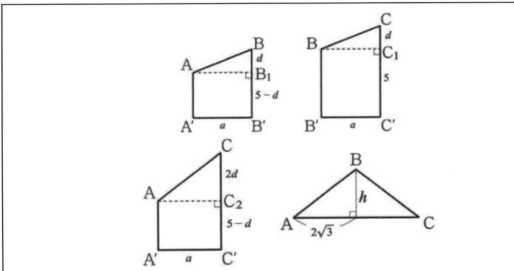

$\overline{AA'}=5-d$, $\overline{BB'}=5$, $\overline{CC'}=5+d$ 라 하고, 정삼각형 A′B′C′의 한 변의 길이를 a라 하자. 아래 그림과 같이 점 B_1, C_1, C_2를 선분 BB′ 또는 CC′위에서 잡자.

직각삼각형 AB_1B, BC_1C에서 $\overline{AB}=\overline{BC}=\sqrt{a^2+d^2}$ 이므로 삼각형 ABC는 이등변삼각형이다. 위 그림과 같이 점 B와 선분 AC사이의 거리를 h라 하면 삼각형 ABC의 넓이가 $6\sqrt{3}$ 이므로 $h=3$이고 $\overline{AB}=\overline{BC}=\sqrt{21}$ 이다. 직각삼각형 AB_1B와 AC_2C에서 $a^2+d^2=21$, $a^2+4d^2=48$이므로 $a=2\sqrt{3}\,(d=\pm3)$을 얻는다. 따라서 삼각형 A′B′C′의 넓이는 $3\sqrt{3}$ 이고, 평면 ABC와 평면 α가 이루는 각을 θ라 하면 $\cos\theta=\dfrac{1}{2}$이다. 삼각형 ABC의 내접원의 반지름의 길이를 r라 하고 삼각형 ABC의 넓이를 S라 하면

$$\frac{1}{2}(4\sqrt{3}+2\sqrt{21})r = S = 6\sqrt{3}$$

이므로 $r = 2(\sqrt{7}-2)$을 얻는다. 삼각형 ABC의 내접원의 그림자의 넓이는

$$\pi r^2 \cos\theta = \frac{1}{2}\pi r^2 = 2(11-4\sqrt{7})\pi$$

이다.

3. 2024학년도 중앙대 모의 논술

[문제 1] 검은 공 4개와 흰 공 2개가 들어있는 주머니가 있다. 이때, 원점에 놓여있는 점 P를 다음 규칙에 따라 좌표평면 위에서 이동시키는 시행을 한다.

- 주머니에서 1개의 공을 꺼낸 후, 이 공이 검은 공일 경우 점 P를 (x, y)에서 $(2x+2, y)$로 이동시키고, 흰 공일 경우 (x, y)에서 $(x, 3y-3)$으로 이동시킨다.
- 점 P를 이동시킨 후 꺼낸 공은 다시 주머니에 넣는다.

이와 같은 시행을 4번 반복한 후, 점 P의 x좌표와 y좌표의 합의 기댓값을 구하시오. [20점]

주머니에서 검은 공 1개를 꺼낼 확률은 $\frac{4}{6}=\frac{2}{3}$, 흰 공 1개를 꺼낼 확률은 $\frac{2}{6}=\frac{1}{3}$이다. 이와같은 상황에서 주어진 시행을 4번 반복할 때, 검은 공이 나오는 횟수를 m, 흰 공이 나오는 횟수를 n이라 하자. 이때, $m+n=4$을 만족하고, 검은 공이 m번과 흰 공이 n번 나오는 확률은 ${}_4C_m\left(\frac{2}{3}\right)^m\left(\frac{1}{3}\right)^n$이다.

이동한 점 P의 x좌표와 y좌표를 구하면 다음과 같다.

[방법 1]

4번의 시행에서 검은 공이 m번, 흰 공이 n번 나왔을 때, 이동한 점 P의 x좌표를 a_m, y좌표를 b_n이라 하면, 수열의 귀납적 정의를 통해 각 수열은 다음과 같이 표현된다.

$$a_0=0, \quad a_{m+1}=2a_m+2, \quad m=0, 1, 2, 3, 4$$
$$b_0=0, \quad b_{n+1}=3b_n-3, \quad n=0, 1, 2, 3, 4$$

[방법 2]

점 P가 (x, y)에서 출발한다고 하자. 검은 공이 m번, 흰 공이 n번 나왔을 때, 이동한 점 P의 x좌표와 y좌표는 다음과 같다.

- x좌표: $2^m x + 2^m + 2^{m-1} + \cdots + 2 = 2^m x + \dfrac{2(2^m-1)}{2-1}$

$$= 2^m x + 2^{m+1} - 2$$

- y좌표: $3^n y - 3^n - 3^{n-1} - \cdots - 3 = 3^n y - \dfrac{3(3^n-1)}{3-1}$

$$= 3^n y - \dfrac{3^{n+1}-3}{2}$$

- 점 P는 원점에서 출발하였으므로, 위 식에 $x=0$, $y=0$을 대입하면, 이동한 점 P의 x좌표는 $2^{m+1}-2$, y좌표는 $-\dfrac{3^{n+1}-3}{2}$이 된다.

따라서, 점 P의 x좌표와 y좌표의 합을 확률변수 X라고 정의하면, X의 확률분포는 다음 표와 같다.

조합	m	n	x좌표	y좌표	X	$P(X=x)$
I	0	4	0	-120	-120	${}_4C_0\left(\dfrac{2}{3}\right)^0\left(\dfrac{1}{3}\right)^4=\dfrac{1}{81}$
II	1	3	2	-39	-37	${}_4C_1\left(\dfrac{2}{3}\right)^1\left(\dfrac{1}{3}\right)^3=\dfrac{8}{81}$
III	2	2	6	-12	-6	${}_4C_2\left(\dfrac{2}{3}\right)^2\left(\dfrac{1}{3}\right)^2=\dfrac{24}{81}$
IV	3	1	14	-3	11	${}_4C_3\left(\dfrac{2}{3}\right)^3\left(\dfrac{1}{3}\right)^1=\dfrac{32}{81}$
V	4	0	30	0	30	${}_4C_4\left(\dfrac{2}{3}\right)^4\left(\dfrac{1}{3}\right)^0=\dfrac{16}{81}$

확률변수 X의 기댓값은 $-120\times\dfrac{1}{81}-37\times\dfrac{8}{81}-6\times\dfrac{24}{81}+11\times\dfrac{32}{81}+30\times\dfrac{16}{81}=\dfrac{272}{81}$**이다.**

[문제 2] 다음을 읽고 문제에 답하시오.

- 함수 $f(x)$가 $x=a$에서 미분가능하고 $x=a$에서 극값을 가지면 $f'(a)=0$이다.
- 모든 실수 α, β에 대하여 $\sin(\alpha+\beta)=\sin\alpha\cos\beta+\cos\alpha\sin\beta$가 성립한다.
- 탄젠트 함수의 덧셈정리는 다음과 같다.
$$\tan(\alpha+\beta)=\frac{\tan\alpha+\tan\beta}{1-\tan\alpha\tan\beta} \quad \tan(\alpha-\beta)=\frac{\tan\alpha-\tan\beta}{1+\tan\alpha\tan\beta}$$

[문제 2-1] 닫힌구간 $[0,\ 2\pi]$에서 정의된 함수 $f(x)=x-3\sin x+\sin(2x)$가 $x=a$에서 최댓값을 가질 때, $\sin a$의 값을 구하시오. [10점]

삼각함수의 덧셈정리를 이용하여 함수 $f(x)$를 미분한 후, 식을 다음과 같이 정리한다.
$$f'(x)=1-3\cos x+(2\sin x\cos x)'=1-3\cos x+2(\cos^2 x-\sin^2 x)$$
$$=4\cos^2 x-3\cos x-1=(\cos x-1)(4\cos x+1)$$

여기서 $x=0$, x_1, x_2, 2π**일 때,** $f'(x)=0$**을 만족하므로** $(\cos x_1=\cos x_2=-\dfrac{1}{4}$**이고** $x_1<x_2$**라 한다.)** $f(x)$**의 최댓값은**
$$f(0)=0,\ f(x_1)=x_1-\frac{7}{8}\sqrt{15},\ f(x_2)=x_2+\frac{7}{8}\sqrt{15},\ f(2\pi)=2\pi$$

중 가장 큰 수이다. $\cos x$**함수의 그래프로부터 적어도** $x_2>\dfrac{5\pi}{4}$**를 만족함을 알 수 있는데,**

이를 이용하여 $f(x_2)$와 $f(2\pi)$를 비교하면 $a=x_2$임을 알 수 있다. 따라서 정답은 $\sin a = -\dfrac{\sqrt{15}}{4}$이다.

[문제 2-2] 좌표평면 위의 점 A(0, 1), B(2, 1)과 직선 $x+y=0$위의 점 P에 대하여 $\angle \mathrm{APB} = \theta$라 할 때, $\tan\theta$의 최댓값을 구하시오. (단, $0 \le x \le 2$이다.) [15점]

P$(t, \; -t) \; (0 \le t \le 2)$라 하자. AP와 직선 $x=0$사이의 각을 α, BP와 직선 $x=2$사이의 각을 β라 하면 $\tan\alpha = \dfrac{t}{t+1}$, $\tan\beta = \dfrac{2-t}{t+1}$이다. 덧셈 정리를 이용하여

$$\tan\theta = \tan(\alpha+\beta) = \frac{2t+2}{2t^2+1}$$

을 얻고, t에 대하여 미분하면 $\dfrac{2(1-4t-2t^2)}{(2t^2+1)^2}$을 구한다.

$\tan\theta = \dfrac{2t+2}{2t^2+1}$는 $t = \dfrac{\sqrt{6}}{2}-1 \left(0 < \dfrac{\sqrt{6}}{2}-1 < 2\right)$에서 극대이고 최댓값을 갖는다.

$t = \dfrac{\sqrt{6}}{2}-1$을 $\tan\theta = \dfrac{2t+2}{2t^2+1}$에 대입하여 최댓값 $\dfrac{\sqrt{6}}{6-2\sqrt{6}} = \dfrac{2+\sqrt{6}}{2}$을 구한다.

[문제 3] 다음을 읽고 문제에 답하시오.

- 미분가능한 함수 $g(x)$의 도함수 $g'(x)$가 닫힌구간 $[a, b]$를 포함하는 열린구간에서 연속이고, $g(a)=\alpha$, $g(b)=\beta$에 대하여 함수 $f(x)$가 α와 β를 양끝으로 하는 닫힌 구간에서 연속일 때 다음 식이 성립한다.

$$\int_a^b f(g(x))g'(x)dx = \int_\alpha^\beta f(t)dt$$

- 양의 실수 x, y에 대하여 $\ln(xy) = \ln x + \ln y$가 성립한다.

- 모든 자연수 n에 대하여 다음 식이 성립한다.

  ① $\displaystyle\sum_{k=1}^{n} k = \frac{n(n+1)}{2}$

  ② $\displaystyle\sum_{k=1}^{n} k^2 = \frac{n(n+1)(2n+1)}{6}$

- a에 가까운 모든 실수 x에 대하여 $f(x) \le h(x) \le g(x)$이고 $\displaystyle\lim_{x \to a} f(x) = \lim_{x \to a} g(x) = L$이면 $\displaystyle\lim_{x \to a} h(x) = L$이다. (단, L은 실수이다.)

[문제 3-1] 일반항이 $a_n = \dfrac{2^n}{n^2}$인 수열 $\{a_n\}$에 대하여 정적분 $I_n = \displaystyle\int_{\frac{1}{a_n}}^{a_n} \frac{1}{nx(1+x^n)}dx$의 극한값 $\displaystyle\lim_{n \to \infty} I_n$을 구하시오. [10점]

$u = x^n$ (즉, $x = u^{1/n}$)으로 치환을 하면

$$\int \frac{dx}{x(1+x^n)} = \int \frac{1}{u^{1/n}(1+u)} \frac{1}{n} u^{\frac{1}{n}-1} du = \frac{1}{n} \int \frac{1}{u(u+1)} du$$

이므로, 적분함수를 다음과 같이 정리하여 적분을 구할 수 있다.

$$\frac{1}{n} \int \frac{du}{u(u+1)} = \frac{1}{n} \int \left(\frac{1}{u} - \frac{1}{u+1} \right) du = \frac{1}{n} (\ln|u| - \ln|u+1|) = \ln|x| - \frac{1}{n} \ln|1+x^n|$$

따라서,

$$I_n = \int_{\frac{1}{a_n}}^{a_n} \frac{dx}{nx(1+x^n)} = \frac{1}{n} \left(\ln \frac{a_n}{1/a_n} - \frac{1}{n} \ln \left| \frac{1+(a_n)^n}{1+(1/a_n)^n} \right| \right)$$

$$= \frac{1}{n} \left(\ln(a_n)^2 - \frac{1}{n} \ln(a_n)^n \right) = \frac{\ln a_n}{n} = \ln 2 - \frac{2\ln n}{n}$$

이므로 $\displaystyle\lim_{n \to \infty} I_n = \ln 2$이다.

[문제 3-1별해]

우선 적분을 다음과 같이 정리한 후

$$\int \frac{dx}{x(1+x^n)} = \int \frac{dx}{x} - \int \frac{x^{n-1}}{1+x^n} dx,$$

두 번째 적분에 대하여 $u = 1 + x^n$로 치환하면,

$$\int \frac{dx}{x(1+x^n)} = \ln|x| - \frac{1}{n} \ln|1+x^n|$$

를 얻을 수 있다. 따라서

$$I_n = \int_{\frac{1}{a_n}}^{a_n} \frac{dx}{nx(1+x^n)} = \frac{1}{n} \left(\ln \frac{a_n}{1/a_n} - \frac{1}{n} \ln \left| \frac{1+(a_n)^n}{1+(1/a_n)^n} \right| \right)$$

$$= \frac{1}{n} \left(\ln(a_n)^2 - \frac{1}{n} \ln(a_n)^n \right) = \frac{\ln a_n}{n} = \ln 2 - \frac{2\ln n}{n}$$

이므로 $\displaystyle\lim_{n \to \infty} I_n = \ln 2$이다.

[문제 3-2] 함수 $f(x)$가 다음 조건을 만족한다.

(가) 모든 실수 x, y에 대하여 $f(x+y) = f(x) + f(y) + xy(x+y+1) + 1$이다.

(나) 0에 가까운 모든 실수 x에 대하여 $|f(x)+1| \le x^2$이다.

$\displaystyle\sum_{k=1}^{10} f'(k)$를 구하시오 [15점]

0에 가까운 모든 실수 x에 대하여, $|f(x)+1| \leq x^2$이므로 $|f(x)+1| \leq |x|^2$이고 $\left|\dfrac{f(x)+1}{x}\right| \leq |x|$을 만족한다. 따라서 $-|x| \leq \dfrac{f(x)+1}{x} \leq |x|$이고 $\displaystyle\lim_{x \to 0} -|x| = \lim_{x \to 0} |x| = 0$이므로 $\displaystyle\lim_{x \to 0} \dfrac{f(x)+1}{x} = 0$이다.

자연수 k에 대해서
$$\frac{f(k+h)-f(k)}{h} = \frac{f(k)+f(h)+kh(k+h+1)+1-f(k)}{h} = \frac{f(h)+1}{h} + k^2 + kh + k$$

이므로
$$\lim_{h \to 0} \frac{f(k+h)-f(k)}{h} = \lim_{h \to 0} \frac{f(h)+1}{h} + k^2 + kh + k = k^2 + k = f'(k)$$

$$\sum_{k=1}^{10} f'(k) = \sum_{k=1}^{10} k^2 + \sum_{k=1}^{10} k = \frac{10 \cdot 11 \cdot 21}{6} + \left(\frac{10 \cdot 11}{2}\right) = 440$$

[문제 4] 다음을 읽고 문제에 답하시오.

> • 중심이 점 $(a,\ b,\ c)$이고 반지름이 r인 구의 방정식은
> $$(x-a)^2 + (y-b)^2 + (z-c)^2 = r^2$$
> 이고 그 부피는 $\dfrac{4}{3}\pi r^3$이다. 밑면의 반지름이 s이고 높이가 h인 원뿔의 부피는 $\dfrac{1}{3}\pi s^2 h$이다.
> • 벡터 $\vec{a}$의 크기는 $|\vec{a}|$로 나타내고 $|\vec{a}|^2 = \vec{a} \cdot \vec{a}$를 만족한다.
> • 영벡터가 아닌 두 벡터 $\vec{b},\ \vec{c}$가 수직일 조건은 $\vec{b} \cdot \vec{c} = 0$이다.

[문제 4-1] 다음 그림과 같이 xy평면에 넓이가 A인 밑면을 가지고 양의 z축에 꼭짓점을 가지는 원뿔이 방정식 $x^2 + y^2 + (z-1)^2 = 1$로 정의된 구 S에 외접한다. 점 $(0,\ 0,\ 2)$를 지나고 xy평면에 평행한 평면으로 이 원뿔을 잘라 얻은 원뿔대의 부피가 구 S의 부피의 3배이고 잘린 단면의 넓이를 B라 할 때, $\dfrac{A}{B}$를 구하시오. [15점]

> 아래의 그림과 같이 원뿔과 구를 yz-평면으로 잘라 얻은 단면에 7개의 점 P, Q, R, S, T, U, V를 잡고 $a = \overline{ST}$, $b = \overline{QV}$라 하자.
>
> 두 직각삼각형 PST와 PQV의 닮음비가 $a:b$이므로 $\overline{PT} = ak$, $\overline{PV} = bk$라고 놓을 수 있다. 원의 반지름이 1이므로 $ak = bk+2$이다. 두 직각삼각형 PQV와 PUR이 닮은 것을 이용하여 비례식 $b\sqrt{1+k^2} : b = bk+1 : 1$으로부터 $b = \dfrac{\sqrt{1+k^2}-1}{k}$를 얻는다. $ak = bk+2$이므로

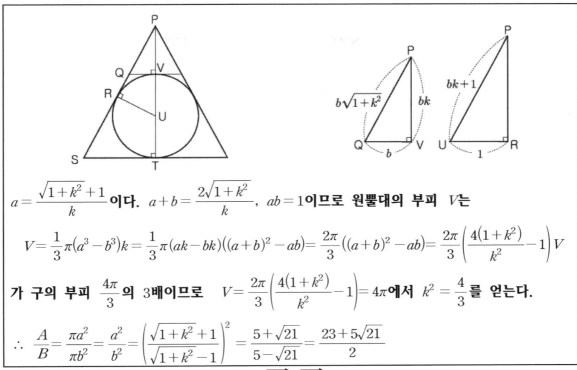

$a = \dfrac{\sqrt{1+k^2}+1}{k}$ 이다. $a+b = \dfrac{2\sqrt{1+k^2}}{k}$, $ab=1$이므로 원뿔대의 부피 V는

$$V = \frac{1}{3}\pi(a^3 - b^3)k = \frac{1}{3}\pi(ak - bk)\big((a+b)^2 - ab\big) = \frac{2\pi}{3}\big((a+b)^2 - ab\big) = \frac{2\pi}{3}\left(\frac{4(1+k^2)}{k^2} - 1\right)V$$

가 구의 부피 $\dfrac{4\pi}{3}$의 3배이므로 $V = \dfrac{2\pi}{3}\left(\dfrac{4(1+k^2)}{k^2} - 1\right) = 4\pi$에서 $k^2 = \dfrac{4}{3}$를 얻는다.

$$\therefore \ \frac{A}{B} = \frac{\pi a^2}{\pi b^2} = \frac{a^2}{b^2} = \left(\frac{\sqrt{1+k^2}+1}{\sqrt{1+k^2}-1}\right)^2 = \frac{5+\sqrt{21}}{5-\sqrt{21}} = \frac{23+5\sqrt{21}}{2}$$

[문제 4-2] 정팔각형 ABCDEFGH에서 $|\overrightarrow{CA} - \overrightarrow{BE}| = 2$일 때, 이 정팔각형의 넓이를 구하시오. [15점]

정팔각형의 한 변의 길이를 d라 하고 정팔각형을 포함하는 정사각형 PQRS를 아래의 그림과 같이 잡으면, 정팔각형의 넓이는 정사각형의 넓이에서 네 개의 직각이등변삼각형의 넓이를 빼면 되므로 $2(1+\sqrt{2})d^2$이다.

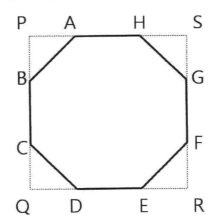

$\vec{a} = \overrightarrow{DE}$, $\vec{b} = \overrightarrow{CB}$라 하면,

$\overrightarrow{CA} = \dfrac{\sqrt{2}}{2}\vec{a} + \left(1 + \dfrac{\sqrt{2}}{2}\right)\vec{b}$이고 $\overrightarrow{BE} = \left(1 + \dfrac{\sqrt{2}}{2}\right)\vec{a} - \left(1 + \dfrac{\sqrt{2}}{2}\right)\vec{b}$이다. $\vec{a} \cdot \vec{b} = 0$이므로

$$4 = |\overrightarrow{CA} - \overrightarrow{BE}|^2 = |-\vec{a} + (2+\sqrt{2})\vec{b}|^2 = |\vec{a}|^2 + (2+\sqrt{2})^2|\vec{b}|^2 = (7+4\sqrt{2})d^2$$

따라서 정팔각형의 넓이 A는

137

$$A = 2(1+\sqrt{2}) \cdot \frac{4}{7+4\sqrt{2}} = \frac{8(3\sqrt{2}-1)}{17}$$

4. 2023학년도 중앙대 수시 논술 (자연 Ⅰ)

[문제 1] 세 사람 A B C의 이름이 각각 적힌 서로 다른 3장의 이름표가 들어 있는 상자가 있다. 다음과 같은 규칙의 게임을 고려하자.

- 라운드 : A B C가 상자에서 임의로 각각 한 장씩 이름표를 뽑은 다음, 자신의 이름표를 뽑은 사람을 제외하고 다른 사람의 이름표를 뽑은 사람만 이름표를 상자에 다시 넣는다.

- n 라운드 $(n \geq 2)$: 아직 자신의 이름표를 뽑지 못한 사람만 $(n-1)$ 라운드 직후의 상자에서 임의로 각각 한 장씩 이름표를 뽑는다. 이때 자신의 이름표를 뽑은 사람을 제외하고 다른 사람의 이름표를 뽑은 사람만 이름표를 상자에 다시 넣는다.

- 각 라운드 직후 상자에 남은 이름표가 없으면 게임은 종료된다.

위와 같은 규칙으로 게임이 종료되지 않고 6 라운드까지 진행된다고 할 때, 오직 한 사람만 자신의 이름표를 뽑는 경우의 수를 구하시오. (단, 각 라운드에서 이름표를 뽑는 순서는 고려하지 않는다.) [20점]

우선, n라운드에서만 1명이 자신의 이름표를 뽑을 조건을 고려하자. 이를 위해서는,
① 이전 라운드까지는 모든 사람이 다른 사람의 이름표를 뽑아야 하고
② n라운드에서 세 사람 중 한 명이 자신의 이름표를 뽑고
③ $(n+1)$라운드부터는 나머지 사람들이 모두 다른 사람의 이름표를 계속 뽑아야 한다.
단, $n=1$인 경우는 이전 라운드가 없기 때문에 ①의 과정이 없고, $n=6$인 경우는 6라운드까지 고려하므로 ③의 과정이 없다.

편의상, 세 사람 A, B, C의 이름표를 각각 a, b, c라고 하자. ①의 경우는 A, B, C가 $(b,\ c,\ a)$ 또는 $(c,\ a,\ b)$를 고르는 경우이므로 2가지가 있다. ②의 경우는 A, B, C 중 한 사람이 자신의 이름표를 뽑고 나머지 두 사람은 이름표를 엇갈리게 뽑는 경우이다. 따라서, 자신의 이름표를 뽑는 사람이 세 사람 중 한 명이므로 3가지가 있다. ③의 경우는 두 사람이 서로 이름표를 엇갈리게 뽑는 경우이므로 1가지 경우이다. 따라서, 6라운드까지 진행에서 n라운드에서만 1명이 자신의 이름표를 뽑는 경우의 수를 M_n이라고 하면 다음과 같이 계산할 수 있다.

$M_1 = 3 \times 1 \times 1 \times 1 \times 1 \times 1 = 3$;

    예: A만 이름표를 뽑는 경우

        $(a,\ c,\ b) \to (\cdot,\ c,\ b) \to \cdots \to (\cdot,\ c,\ b)$

$M_2 = 2 \times 3 \times 1 \times 1 \times 1 \times 1 = 3 \times 2^1$;

    예: A만 이름표를 뽑는 경우

        $(b,\ c,\ a)\text{or}\ (c,\ a,\ b) \to (a,\ c,\ b) \to (\cdot,\ c,\ b) \to \cdots \to (\cdot,\ c,\ b)$

$M_3 = 2 \times 2 \times 3 \times 1 \times 1 \times 1 = 3 \times 2^2$

예: A 만 이름표를 뽑는 경우

$(b,\ c,\ a)$ or $(c,\ a,\ b) \rightarrow (b,\ c,\ a)$ or $(c,\ a,\ b) \rightarrow (a,\ c,\ b)$

$\rightarrow (\ \cdot\ ,\ c,\ b) \rightarrow \cdots \rightarrow (\ \cdot\ ,\ c,\ b) \cdots$

$M_6 = 2 \times 2 \times 2 \times 2 \times 2 \times 3 = 3 \times 2^5;$

예: A만 이름표를 뽑는 경우

$(b,\ c,\ a)$ or $(c,\ a,\ b) \rightarrow \cdots \rightarrow (b,\ c,\ a)$ or $(c,\ a,\ b) \rightarrow (a,\ c,\ b)$

위의 계산에 의하여, 문제에서 요구하는 경우의 수는 다음과 같다.

$$\sum_{n=1}^{6} M_n = 3 \times \left(\frac{2^6 - 1}{2-1} \right) = 3 \times 63 = 189$$

[문제 2] 다음을 읽고 문제에 답하시오.

- 두 함수 $f(x)$, $g(x)$가 미분가능할 때 $\{f(x)g(x)\}' = f'(x)g(x) + f(x)g'(x)$이다.
- 미분가능한 두 함수 $y = f(u)$, $u = g(x)$에 대하여 합성함수 $y = f(g(x))$의 도함수는 $\{f(g(x))\}' = f'(g(x))g'(x)$이다.
- 함수 $f(x)$가 임의의 세 실수 a, b, c를 포함하는 열린구간에서 연속일 때 다음 식이 성립한다.

$$\int_a^c f(x)dx + \int_c^b f(x)dx = \int_a^b f(x)dx$$

- 미분가능한 함수 $g(x)$의 도함수 $g'(x)$가 닫힌구간 $[a, b]$를 포함하는 열린구간에서 연속이고, $g(a) = \alpha$, $g(b) = \beta$에 대하여 함수 $f(x)$가 α와 β를 양끝으로 하는 닫힌구간에서 연속일 때 다음 식이 성립한다.

$$\int_a^b f(g(x))g'(x)dx = \int_\alpha^\beta f(t)dt$$

[문제 2-1] 양의 실수 α에 대하여, 곡선

$$y = \sqrt[3]{\alpha + \frac{x}{1 \cdot 2 \cdot 3}} \cdot \sqrt[3]{\left(\alpha + \frac{x}{2 \cdot 3 \cdot 4}\right)^2} \cdot \left(\alpha + \frac{x}{3 \cdot 4 \cdot 5}\right)$$

위의 점 $(0,\ \alpha^2)$에서의 접선이 점 $(5,\ 1)$을 지난다고 할 때, α의 값을 구하시오. **[10점]**

주어진 함수를 미분하면,

$$y' = \frac{1}{3} \cdot \frac{1}{1 \cdot 2 \cdot 3}\left(\alpha + \frac{x}{1 \cdot 2 \cdot 3}\right)^{-\frac{2}{3}}\left(\alpha + \frac{x}{2 \cdot 3 \cdot 4}\right)^{\frac{2}{3}}\left(\alpha + \frac{x}{3 \cdot 4 \cdot 5}\right)$$

$$+ \left(\alpha + \frac{x}{1 \cdot 2 \cdot 3}\right)^{\frac{1}{3}} \cdot \frac{2}{3} \cdot \frac{1}{2 \cdot 3 \cdot 4}\left(\alpha + \frac{x}{2 \cdot 3 \cdot 4}\right)^{-\frac{1}{3}}\left(\alpha + \frac{x}{3 \cdot 4 \cdot 5}\right)$$

$$+ \left(\alpha + \frac{x}{1 \cdot 2 \cdot 3}\right)^{\frac{1}{3}}\left(\alpha + \frac{x}{2 \cdot 3 \cdot 4}\right)^{\frac{2}{3}}\frac{1}{3 \cdot 4 \cdot 5}$$

이므로

$$y'(0) = \frac{\alpha}{3}\left(\frac{1}{2\cdot 3} + \frac{1}{3\cdot 4} + \frac{1}{4\cdot 5}\right) = \frac{\alpha}{3}\left(\frac{1}{2} - \frac{1}{3} + \frac{1}{3} - \frac{1}{4} + \frac{1}{4} - \frac{1}{5}\right) = \frac{\alpha}{10}$$

이다. 따라서 $(0, \alpha^2)$에서의 접선은 $y = \frac{\alpha}{10}x + \alpha^2$이다. 이 직선이 $(5, 1)$을 지나기 위해서

는 $\alpha^2 + \frac{\alpha}{2} - 1 = 0$을 만족해야 하므로 $\alpha = \frac{-1+\sqrt{17}}{4}$이다.

[문제 2-2] 주기가 2π인 함수 $f(x)$가 모든 실수 x에 대하여

$$f(x) + 2f\left(x + \frac{\pi}{2}\right) = 15 \cdot \frac{|\sin x|}{2 + \cos x}$$

을 만족할 때, 정적분 $\int_0^\pi f(x)dx$의 값을 구하시오. [15점]

편의상 $g(x) = 15 \cdot \frac{|\sin x|}{2 + \cos x}$라 하자. 주어진 식 $f(x) = g(x) - 2f\left(x + \frac{\pi}{2}\right)$를 반복해서 적용

하면

$$\begin{aligned} f(x) &= g(x) - 2f\left(x + \frac{\pi}{2}\right) = g(x) - 2g\left(x + \frac{\pi}{2}\right) + 4f(x + \pi) \\ &= g(x) - 2g\left(x + \frac{\pi}{2}\right) + 4g(x + \pi) - 8f\left(x + \frac{3\pi}{2}\right) \\ &= g(x) - 2g\left(x + \frac{\pi}{2}\right) + 4g(x + \pi) - 8g\left(x + \frac{3\pi}{2}\right) + 16f(x + 2\pi) \end{aligned}$$

를 얻는다. 그런데 $f(x)$의 주기가 2π이므로,

$$f(x) = -\frac{1}{15}\left\{ g(x) - 2g\left(x + \frac{\pi}{2}\right) + 4g(x + \pi) - 8g\left(x + \frac{3\pi}{2}\right) \right\}$$

이다. 따라서

$$\int_0^\pi f(x)dx = -\frac{1}{15}\left\{ \int_0^\pi g(x)dx - 2\int_0^\pi g\left(x + \frac{\pi}{2}\right)dx + 4\int_0^\pi g(x + \pi)dx - 8\int_0^\pi g\left(x + \frac{3\pi}{2}\right)dx \right\}$$

이다. 우변의 첫 번째 적분은 $u = 2 + \cos x$로 치환하여 값을 구하고

$$\int_0^\pi g(x)dx = 15\int_0^\pi \frac{\sin x}{2 + \cos x}dx = -15\int_3^1 \frac{1}{u}du = 15\ln 3$$

를 얻고, 두 번째 적분은 구간을 나눈 다음 $u = 2 + \cos\left(x + \frac{\pi}{2}\right)$로 치환하여 값을 구한다.

$$\int_0^\pi g\left(x + \frac{\pi}{2}\right)dx = 15\int_0^{\frac{\pi}{2}} \frac{\sin\left(x + \frac{\pi}{2}\right)}{2 + \cos\left(x + \frac{\pi}{2}\right)}dx - 15\int_{\frac{\pi}{2}}^\pi \frac{\sin\left(x + \frac{\pi}{2}\right)}{2 + \cos\left(x + \frac{\pi}{2}\right)}dx = 30\ln 2$$

같은 방식으로 세 번째, 네 번째 적분도 값을 구할 수 있다.

$$\int_0^\pi g(x + \pi)dx = 15\ln 3, \qquad \int_0^\pi g\left(x + \frac{3\pi}{2}\right)dx = 30(\ln 3 - \ln 2)$$

따라서

$$\int_0^\pi f(x)dx = -\ln 3 + 4\ln 2 - 4\ln 3 + 16(\ln 3 - \ln 2) = 11\ln 3 - 12\ln 2$$

이다.

[문제 3] 다음을 읽고 문제에 답하시오.

- 곡선 $y = f(x)$위의 점 $(\alpha, f(\alpha))$에서 접하는 접선의 방정식은 다음식과 같다.
$$y - f(\alpha) = f'(\alpha)(x - \alpha)$$
- 미분가능한 두 함수 $y = f(u)$, $u = g(x)$에 대하여 합성함수 $y = f(g(x))$의 도함수는 $\{f(g(x))\}' = f'(g(x))g'(x)$이다.
- 미분가능한 함수 $g(x)$의 도함수 $g'(x)$가 닫힌구간 $[a, b]$를 포함하는 열린구간에서 연속이고, $g(a) = \alpha$, $g(b) = \beta$에 대하여 함수 $f(x)$가 α와 β를 양끝으로 하는 닫힌 구간에서 연속일 때 다음 식이 성립한다.
$$\int_a^b f(g(x))g'(x)dx = \int_\alpha^\beta f(t)dt$$

[문제 3-1] $x \geq 1$에서 정의된, 좌표평면 위의 곡선 $y = \sin(\ln x)$가 있다. 좌표평면의 원점에서 곡선 $y = \sin(\ln x)$에 그은 가능한 모든 접선의 접점들을 $(a_n, \sin(\ln a_n))$으로 나타내자. 이때, x좌표가 가장 작은 접점의 x좌표가 a_1이고, 모든 자연수 n에 대하여 $a_n < a_{n+1}$이 성립한다. $\displaystyle\sum_{n=1}^{10} \frac{1}{(\ln a_n)(\ln a_{n+1})}$의 값을 구하시오. [10점]

곡선 위의 점 $(t, \cos(\ln t))$에서 접선의 방정식은 $y - \sin(\ln t) = \dfrac{\cos(\ln t)}{t}(x - t)$이다. 원점을 지나므로 $(x, y) = (0, 0)$을 대입하면 $\sin(\ln t) = \cos(\ln t)$가 된다. $t \geq 1$이므로 $\ln t \geq 0$이고 $\ln t = \dfrac{\pi}{4}, \pi + \dfrac{\pi}{4}, 2\pi + \dfrac{\pi}{4}, \cdots$이다. 따라서 $a_n = e^{\pi(n-1) + \frac{\pi}{4}}$이다. 등식

$$\frac{1}{\left(n - \dfrac{3}{4}\right)\left(n + \dfrac{1}{4}\right)} = \frac{1}{n - \dfrac{3}{4}} - \frac{1}{n + \dfrac{1}{4}}$$

을 이용하면 구하는 값은 아래와 같다.

$$\sum_{n=1}^{10} \frac{1}{(\ln a_n)(\ln a_{n+1})} = \frac{1}{\pi^2}\sum_{n=1}^{10}\left(\frac{1}{n - \dfrac{3}{4}} - \frac{1}{n + \dfrac{1}{4}}\right) = \frac{1}{\pi^2}\left(4 - \frac{4}{41}\right) = \frac{160}{41\pi^2}$$

[문제 3-2] 함수 $y = 2e^{3x} - 3ae^{2x} + 8$의 그래프가 x축과 한 점에서 만나게 하는 실수 a의 값을 a_0이라 하고, 이때 x축과의 교점을 $(x_0, 0)$이라 하자. 다음 정적분의 값을 구하시오. [15점]

$$\int_0^{x_0}\left(2e^{3x}-3a_0e^{2x}+8\right)dx$$

$\alpha \le 0$일 때, $2e^{3x}-3ae^{2x}+8 \ge 8$이므로 x축과 만나지 않는다. $\dfrac{dy}{dx}=6e^{2x}\left(e^x-a\right)$이므로 $\alpha > 0$인 경우에 $e^x=\alpha$에서 극솟값을 갖는다. x축과 한점에서 만나기 위하여 $e^x=\alpha$을 함수에 대입하면 $2a^3-3a^3+8=0$이 되어야 한다. 따라서, $a_0=2$일 때 x축과 한점에서 만나고 $x_0=\ln a_0=\ln 2$이다. 주어진 정적분의 값은 아래와 같다.

$$\int_0^{x_0}\left(2e^{3x}-3a_0e^{2x}+8\right)dx=\left[\frac{2}{3}e^{3x}-\frac{3a_0}{2}e^{2x}+8x\right]_0^{x_0}=8\ln 2-\frac{13}{3}$$

5. 2023학년도 중앙대 수시 논술 (자연 II)

[문제 1] 다음의 그림과 같은 도로망이 있다. (i,j)좌표에서 $(i+1,j)$ 또는 $(i,j+1)$좌표로의 이동 비용은 1000원이고 소요 시간은 1시간이다. (i,j) 좌표에서 $(i+1,j+1)$ 좌표로의 이동 비용은 2400원이며 소요 시간은 30분이다. 원점 O 지점에서 출발하여 $A(4,4)$ 지점까지 도로를 따라갈 때, 9000원 이하의 비용으로 7시간 이내에 도착하기 위한 모든 경로의 수를 구하시오. (단, 왼쪽(←) 또는 아래 (↓) 방향과 왼쪽 아래로의 대각선(↙) 방향으로 이동할 수 없다.) [20점]

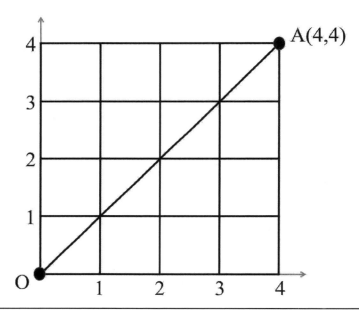

한 단위의 가로, 세로, 대각선 방향으로 이동 횟수를 각각 x, y, z이라고 하자. 원점 O에서 A로 이동하기 위해서 다음의 관계식이 만족되어야 한다.

$$x=y,\ x+y+2z=8$$

왜냐하면, 한 단위 가로 또는 세로 방향으로만 갈 때는 총 8번의 이동이 필요하지만, 한 단위 대각선 방향으로 갈 때는 가로와 세로 방향을 한 번만에 간 효과가 있기 때문이다. 위의 관계식을 만족시키는 $(x,\ y,\ z)$의 조합 및 그에 따른 경로의 비용 및 소요 시간은 다음 표와 같다.

조합	$x=y$	z	비용 (원)	소요 시간 (시간)
I	0	4	$4 \times 2400 = 9600$	$4 \times 0.5 = 2$
II	1	3	$(2 \times 1000) + (3 \times 2400) = 9200$	$(2 \times 1) + (3 \times 0.5) = 3.5$
III	2	2	$(4 \times 1000) + (2 \times 2400) = 8800$	$(4 \times 1) + (2 \times 0.5) = 5$
IV	3	1	$(6 \times 1000) + (1 \times 2400) = 8400$	$(6 \times 1) + (1 \times 0.5) = 6.5$
V	4	0	$8 \times 1000 = 8000$	$8 \times 1 = 8$

따라서, 9000원 이하 비용과 7시간 이내 소요 시간 조건을 만족시키는 조합은 III과 IV이다. 조합 III에 따른 경로는 아래와 같은 $6(={_4}C_2)$가지 종류가 있을 수 있다. 따라서, 총 $30(=18+12)$가지 경로가 있다.

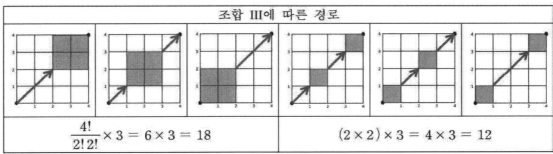

조합 IV에 따른 경로는 아래의 같은 $4(={_4}C_1)$가지 종류가 있을 수 있다. 따라서, 총 $64(=40+24)$가지 경로가 있다.

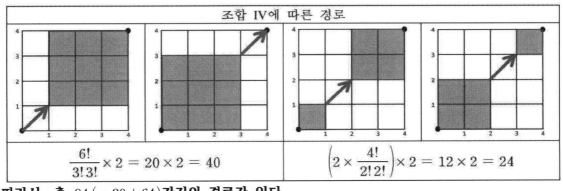

따라서, 총 $94(=30+64)$가지의 경로가 있다.

[문제 2] 다음을 읽고 문제에 답하시오.

- 함수 $f(x)$가 임의의 세 실수 a, b, c를 포함하는 열린구간에서 연속일 때 다음 식이 성립한다.

$$\int_a^c f(x)dx + \int_c^b f(x)dx = \int_a^b f(x)dx$$

- 모든 실수 x에 대하여 $\sin^2 x + \cos^2 x = 1$이 성립한다.

- 미분가능한 두 함수 $f(x)$, $g(x)$에 대하여 $f'(x)$, $g'(x)$가 닫힌구간 $[a, b]$에서 연속일 때 다음 식이 성립한다.

$$\int_a^b f(x)g'(x)dx = [f(x)g(x)]_a^b - \int_a^b f'(x)g(x)dx$$

- 미분가능한 두 함수 $y = f(u)$, $u = g(x)$에 대하여 합성함수 $y = f(g(x))$의 도함수는 $\{f(g(x))\}' = f'(g(x))g'(x)$이다.
- 미분가능한 함수 $f(x)$가 $x = a$에서 극값을 가지면 $f'(a) = 0$이다.

[문제 2-1] 다음 정적분의 값을 구하시오. [10점]

$$\int_{-\frac{\pi}{4}}^{\frac{\pi}{4}} \frac{|x|}{1-\sin x}dx$$

다음과 같이 정적분의 적분 구간 나눈 후, 첫 번째 적분에 대하여 $u = -x$로 치환하여 식을 정리한다.

$$\int_{-\frac{\pi}{4}}^{\frac{\pi}{4}} \frac{|x|}{1-\sin x}dx = \int_{-\frac{\pi}{4}}^{0} \frac{-x}{1-\sin x}dx + \int_{0}^{\frac{\pi}{4}} \frac{x}{1-\sin x}dx$$

$$= -\int_{\frac{\pi}{4}}^{0} \frac{u}{1+\sin u}du + \int_{0}^{\frac{\pi}{4}} \frac{x}{1-\sin x}dx$$

$$= \int_{0}^{\frac{\pi}{4}} \frac{x}{1+\sin x} + \frac{x}{1-\sin x}dx = \int_{0}^{\frac{\pi}{4}} \frac{2x}{1-\sin^2 x}dx$$

그리고 삼각함수의 관계식 $\sin^2 x + \cos^2 x = 1$, $\sec x = \dfrac{1}{\cos x}$, $(\tan x)' = \sec^2 x$과 부분적분을 적용하여

$$\int_{-\frac{\pi}{4}}^{\frac{\pi}{4}} \frac{|x|}{1-\sin x}dx = 2\int_{0}^{\frac{\pi}{4}} x\sec^2 x\, dx = \frac{\pi}{2}\tan\frac{\pi}{4} - 2\int_{0}^{\frac{\pi}{4}} \tan x\, dx$$

를 얻는다. 마지막으로 치환적분 $(u = \cos x)$으로 정적분

$$\int_{0}^{\frac{\pi}{4}} \tan x\, dx = \int_{0}^{\frac{\pi}{4}} \frac{\sin x}{\cos x}dx = \int_{\frac{1}{\sqrt{2}}}^{1} \frac{1}{u}du = \ln 1 - \ln\left(\frac{1}{\sqrt{2}}\right) = \frac{\ln 2}{2}$$

를 계산하여 답 $\dfrac{\pi}{2} - \ln 2$를 구한다.

[문제 2-2] 좌표평면 위의 곡선 $y = 4 \cdot \sqrt{\left(1 + \dfrac{x^2}{36}\right)^3}$에서 점 P$(0, 109)$에 이르는 거리가 최소인 두 점을 A$(x_1, y_1)$, B$(x_2, y_2)$라 하자. 이때, $x = x_1$에서 $x = x_2$까지의 곡선 $y = 4 \cdot \sqrt{\left(1 + \dfrac{x^2}{36}\right)^3}$의 길이를 구하시오. (단, $x_1 < x_2$이다.) [15점]

점 P와 주어진 곡선 위의 점 사이 거리의 제곱의 함수를

$$f(x) = x^2 + \left\{4\left(1+\frac{x^2}{36}\right)^{\frac{3}{2}} - 109\right\}^2$$

라 하자. $f(x)$의 미분

$$f'(x) = \frac{2x}{3}\left\{4\left(1+\frac{x^2}{36}\right)^2 - 109\sqrt{1+\frac{x^2}{36}} + 3\right\}$$

를 계산한 다음, $t = \sqrt{1+\frac{x^2}{36}}$ 로 치환하여 인수분해 하면

$$f'(x) = \frac{2x}{3}(t-3)(4t^3 + 12t^2 + 36t - 1)$$

을 얻는다. 이때, $g(t) = 4t^3 + 12t^2 + 36t - 1$라 하면

$g(1) = 51 > 0$이고

$g'(t) = 12(t+1)^2 + 24 > 0$이므로, $t \geq 1$일 때 $g(t) > 0$라는 것을 알 수 있다. 따라서 함수 $f(x)$는 $x = 0$, $t = 3$(즉, $x = \pm 12\sqrt{2}$)에서 극값을 가진다. 여기서

$$f(\pm 12\sqrt{2}) = (12\sqrt{2})^2 + 1 < 105^2 = f(0)$$

이므로 $x_1 = -12\sqrt{2}$, $x_2 = 12\sqrt{2}$임을 알 수 있다.

곡선의 길이를 구하기 위해 적분 $\int_{-12\sqrt{2}}^{12\sqrt{2}} \sqrt{1+\left(\frac{dy}{dx}\right)^2}\, dx$를 계산해야 하는데, 적분 함수를

$$\sqrt{1+\left(\frac{dy}{dx}\right)^2} = \sqrt{1+\left(6\sqrt{1+\frac{x^2}{36}} \cdot \frac{x}{18}\right)^2} = 1+\frac{x^2}{18}$$

로 정리한 후 계산하면 정답 $152\sqrt{2}$를 얻을 수 있다.

[문제 3] 다음을 읽고 문제에 답하시오.

- 미분가능한 함수 $f(x)$가 $x = a$에서 극값을 가지면 $f'(a) = 0$이다.
- 모든 실수 x에 대하여 $\sin^2 x + \cos^2 x = 1$이 성립한다.
- 미분가능한 두 함수 $y = f(u)$, $u = g(x)$에 대하여 합성함수 $y = f(g(x))$의 도함수는 $\{f(g(x))\}' = f'(g(x))g'(x)$이다.
- x의 함수 y가 음함수의 꼴 $f(x, y) = 0$으로 주어질 때, $f(x, y) = 0$의 양변을 x에 대하여 미분하여 $\frac{dy}{dx}$를 구한다.

[문제 3-1] 조건 $a \geq 0$, $0 < 2b < \left(a+\frac{3}{2}\right)^2$을 만족하는 실수 a, b가 있다. 주어진 a에 대하여 곡선 $y = \left(a+\frac{3}{2}\right)^2 - (a+1)^2 x^2$과 원 $x^2 + (y-b)^2 = b^2$이 서로 다른 두 점에서 만나게 하는 b의 값을 $f(a)$라 할 때, $f(a)$의 최댓값을 구하시오. [10점]

$(a+1)^2x^2 = \left(a+\dfrac{3}{2}\right)^2 - y$를 $x^2+(y-b)^2 = b^2$에 대입하여 정리하면 아래와 같다.

$$(a+1)^2y^2 - (2b(a+1)^2+1)y + \left(a+\dfrac{3}{2}\right)^2 = 0$$

이차함수와 원이 두 점에서 만나려면 y가 중근이여야 하고 판별식을 쓰면 다음을 얻는다.

$$\left(2b(a+1)^2+1\right)^2 = 4(a+1)^2\left(a+\dfrac{3}{2}\right)^2$$

정리하면 $2b(a+1)^2+1 = 2(a+1)\left(a+\dfrac{3}{2}\right)$이고 $b = f(a) = \dfrac{2a^2+5a+2}{2a^2+4a+2}$이다. $a \geq 0$이

고 $f'(a) = \dfrac{1-a}{2(a+1)^3}$이므로 $a=1$에서 최댓값 $f(1)=\dfrac{9}{8}$를 갖는다.

[문제 3-2] 좌표평면 위를 움직이는 점 $A(\cos t, \sin t)$와 곡선 $y=\sqrt{x}$ 위의 점 $B(x, y)$가 거리 1을 유지하며 연속적으로 움직인다. $t=0$일 때, 점 $B(x, y)$는 제 1사분면의 한 점에서 출발한다. $t=\dfrac{\pi}{2}$일 때, $\dfrac{dx}{dt}$의 값을 구하시오. 또한, 점 $B(x, y)$의 x좌표의 최댓값을 구하시오. (단, $0 \leq t \leq \pi$이다.) [15점]

문제의 조건에서 다음을 얻을 수 있다.

$$(x-\cos t)^2 + (\sqrt{x}-\sin t)^2 = 1$$

음함수 미분하여 다음을 얻는다.

$$(x-\cos t)(x'+\sin t) + (\sqrt{x}-\sin t)\left(\dfrac{x'}{2\sqrt{x}}-\cos t\right) = 0$$

1) $t=\dfrac{\pi}{2}$일 때, 대응하는 점은 $B(1, 1)$이다. $t=\dfrac{\pi}{2}$, $x=1$대입하면 $\dfrac{dx}{dt}=-1$이다.

2) x가 $t=\alpha$에서 최댓값을 가질 때 $x'(\alpha)=0$임을 고려하면, $\sqrt{x}=\dfrac{\cos\alpha}{\sin\alpha}$이다. 식 (*)을 정리하면 $x^2-2x\cos t + x - 2\sqrt{x}\sin t = 0$이다. $\sqrt{x}=\dfrac{\cos\alpha}{\sin\alpha}$를 대입하면

$$\cos\alpha - 2\sin^2\alpha\cos^2\alpha = 2\sin^4\alpha$$

이 된다. $\sin^2 t = 1-\cos^2 t$을 이용하여 정리하면 $2\cos^2\alpha + \cos\alpha - 2 = 0$이 되고 $\cos\alpha = \dfrac{-1+\sqrt{17}}{4}$이다. x값을 구하면 $x = \dfrac{\cos^2\alpha}{\sin^2\alpha} = \dfrac{9-\sqrt{17}}{\sqrt{17}-1} = \dfrac{\sqrt{17}-1}{2}$이다.

구간 $0 \leq t \leq \pi$의 양 끝점에서 함수 값을 확인하자. $t=0$일 때, 대응하는 B는 $(1, 1)$이고, $t=\pi$일 때, 대응하는 B는 $(0, 0)$이다. $1 < \dfrac{\sqrt{17}-1}{2}$이므로 최댓값은 $x = \dfrac{\sqrt{17}-1}{2}$이다.

146

6. 2023학년도 중앙대 모의 논술

[문제 1] 다음 상황에 기초하여 문제에 답하시오.

이때 $-48+44\log_a(ab)-12\{\log_a(ab)\}^2+\{\log_a(ab)\}^3>0$을 만족하는 순서쌍 (a,b)의 개수를 모두 구하시오. **[20점]**

$\log_a b = X$ **라고 두면**

$$-48+44\log_a(ab)-12(\log_a(ab))^2+(\log_a(ab))^3$$
$$=-48+44(1+\log_a b)-12(1+\log_a b)^2+(1+\log_a b)^3$$
$$=X^3-9X^2+23X-15$$
$$=(X-1)(X-3)(X-5)$$

로 정리되어, $(X-1)(X-3)(X-5)>0$**을 만족하는 경우는** $1<X<3$ **또는** $X>5$**이다.**

$1\le \log_a b \le 5$**이므로,** $X>5$**는 불가능하며,** $1<X<3$**의 경우는 아래와 같이 정리된다.**

$$1<X<3 \Leftrightarrow 1<\log_a b<3 \Leftrightarrow \log_a a<\log_a b<\log_a a^3 \Leftrightarrow a<b<a^3$$

이며,

    $a=2$**인 경우는** $4\le b<8$ **이므로 4개**

    $a=3$**인 경우는** $3<b<27$ **이므로 23개**

    $a=4$**인 경우는** $4<b\le 32$**이므로 28개**

따라서, 가능한 순서쌍 $(a,\ b)$**의 개수는** $4+23+28=55$**개 이다.**

[문제 2] 다음을 읽고 문제에 답하시오.

- 양수 M, N에 대하여 $\ln(MN)=\ln M+\ln N$이 성립한다.

- 첫째항이 a이고 공차가 d인 등차수열의 첫째항부터 제 n항까지의 합은 $\dfrac{n\{2a+(n-1)d\}}{2}$이다.

- 등비급수 $\displaystyle\sum_{n=1}^{\infty}ar^{n-1}(a\ne 0)$은 $|r|<1$일 때 수렴하고 그 합은 $\dfrac{a}{1-r}$이다.

- 미분가능한 함수 $g(x)$의 도함수 $g'(x)$가 닫힌구간 $[a,b]$를 포함하는 열린구간에서 연속이고, $g(a)=\alpha$, $g(b)=\beta$에 대하여 함수 $f(x)$가 α와 β를 양끝으로 하는 닫힌구간에서 연속일 때 다음 식이 성립한다.

$$\int_a^b f(g(x))g'(x)dx=\int_\alpha^\beta f(t)dt$$

- 모든 실수 x에 대하여 다음 식이 성립한다.

$$\sin\left(\frac{\pi}{2}-x\right)=\cos x,\quad \sin^2 x+\cos^2 x=1$$

[문제 2-1] 첫째항부터 제 5항까지의 합이 45, 첫째항부터 제 10항까지의 합이 140인 등차수열 $\{a_n\}$에 대하여 다음 급수의 합을 구하시오. **[10점]**

$$\sum_{n=1}^{\infty}\frac{1}{2^n}\ln\left\{\frac{3(a_n)^2}{a_n+2}\right\}$$

등차수열의 합에 대한 공식과 문제에 주어진 조건으로부터 등차수열의 일반항 $a_n = 2n+3$ 을 구한다. 이를 급수에 대입하고 로그함수의 성질을 이용하여 식을 다음과 같이 정리한다.

$$\sum_{n=1}^{\infty} \frac{1}{2^n} \ln \left\{ \frac{3(2n+3)^2}{2n+5} \right\} = \sum_{n=1}^{\infty} \frac{\ln 3}{2^n} + \sum_{n=1}^{\infty} \left\{ \frac{\ln(2n+3)}{2^{n-1}} - \frac{\ln(2n+5)}{2^n} \right\}$$

첫 번째 급수에 대해서는 등비급수의 합 공식을 이용하여 $\sum_{n=1}^{\infty} \frac{\ln 3}{2^n} = \ln 3$를 얻고, 두 번째 급수에 대해서는 제 N 항까지의 합을 구한 후

$$\sum_{n=1}^{N} \left\{ \frac{\ln(2n+3)}{2^{n-1}} - \frac{\ln(2n+5)}{2^n} \right\}$$

$$= \left\{ \ln 5 - \frac{\ln 7}{2} \right\} + \left\{ \ln \frac{\ln 7}{2} - \frac{\ln 9}{2^2} \right\} + \cdots + \left\{ \frac{\ln(2N+3)}{2^{N-1}} - \frac{\ln(2N+5)}{2^N} \right\}$$

$$= \ln 5 - \frac{\ln(2N+5)}{2^N}$$

극한 $N \to \infty$를 취하여 $\sum_{n=2}^{\infty} \left\{ \frac{\ln(2n+3)}{2^{n-1}} - \frac{\ln(2n+5)}{2^n} \right\} = \ln 5$를 얻는다. 최종적으로 두 급수의 합을 더하여 정답 $\ln 3 + \ln 5 = \ln(15)$을 얻는다.

[문제 2-2] 다음 정적분의 값을 구하시오. [15점]

$$\int_0^{\frac{\pi}{2}} (2x^2 - \pi x + \pi^2) \sin^2 x \, dx$$

$t = \frac{\pi}{2} - x$로 치환하여 정적분을 다음과 같이 정리한다.

$$\int_0^{\frac{\pi}{2}} (2x^2 - \pi x + \pi^2) \sin^2 x \, dx = \int_0^{\frac{\pi}{2}} \left\{ 2\left(\frac{\pi}{2} - x \right)^2 - \pi \left(\frac{\pi}{2} - x \right) + \pi^2 \right\} \sin^2 \left(\frac{\pi}{2} - x \right) dx$$

여기서 삼각함수의 성질에 의해 $\sin \left(\frac{\pi}{2} - x \right) = \cos x$이고 다항식을 전개하면

$$2\left(\frac{\pi}{2} - x \right)^2 - \pi \left(\frac{\pi}{2} - x \right) + \pi^2 = 2x^2 - \pi x + \pi^2$$

$$\int_0^{\frac{\pi}{2}} (2x^2 - \pi x + \pi^2) \sin^2 x \, dx = \int_0^{\frac{\pi}{2}} (2x^2 - \pi x + \pi^2) \cos^2 x \, dx$$

이다. 따라서 제시문에 주어진 삼각함수의 성질에 의해

$$\int_0^{\frac{\pi}{2}} (2x^2 - \pi x + \pi^2) \sin^2 x \, dx = \frac{1}{2} \int_0^{\frac{\pi}{2}} (2x^2 - \pi x + \pi^2)(\cos^2 x + \sin^2 x) dx$$

$$= \frac{1}{2} \int_0^{\frac{\pi}{2}} (2x^2 - \pi x + \pi^2) dx$$

가 성립한다. 마지막으로 적분을 계산하여 정답 $\frac{11\pi^3}{48}$을 얻는다.

[문제 3] 다음을 읽고 문제에 답하시오.

- 곡선 $y=f(x)$위의 점 $(a, f(a))$에서 접하는 접선의 방정식은 다음 식과 같다.
$$y-f(a)=f'(a)(x-a)$$
- 미분가능한 두 함수 $f(x)$, $g(x)$에 대하여 $f'(x)$, $g'(x)$가 닫힌구간 $[a, b]$에서 연속일 때 다음 식이 성립한다.
$$\int_a^b f(x)g'(x)dx=[f(x)g(x)]_a^b-\int_a^b f'(x)g(x)dx$$
- 미분가능한 두 함수 $y=f(u)$, $u=g(x)$에 대하여 합성함수 $y=f(g(x))$의 도함수는 $\{f(g(x))\}'=f'(g(x))g'(x)$이다.

[문제 3-1] 좌표평면 위의 점 A$(0, 1)$에서 곡선 $y=f(x)=(\ln x)^2-\ln x$에 그은 두 접선의 접점을 $(a, f(a))$, $(\beta, f(\beta))$라 할 때, $\int_a^\beta \{(\ln x)^2-\ln x\}dx$를 구하시오. (단, $a<\beta$이다.) [10점]

$(b, f(b))$에서의 접선의 방정식은 $y-\ln b(\ln b-1)=\dfrac{1}{b}(2\ln b-1)(x-b)$이고 A$(0, 1)$을 지나므로 대입하여 정리하면 $(\ln b)^2-3\ln b=0$이다. 따라서 $a=1$, $\beta=e^3$이다.
$(x\ln x-x)'=\ln x$를 이용하여 부분적분을 하면
$$\int_1^{e^3} \ln x(\ln x-1)dx=[(x\ln x-x)(\ln x-1)]_1^{e^3}-\int_1^{e^3}(\ln x-1)dx=3e^3-3$$
이 된다.

[문제 3-2] 좌표평면 위를 움직이는 점 P의 시각 t에서의 위치 (x, y)가
$$x=t, \quad y=\sqrt{6}(t-2)^2$$
이다. 점 P에서 원 $x^2+y^2=1$에 그은 두 접선과 원 $x^2+y^2=1$로 둘러싸인 부분의 넓이를 $S(t)$라 할 때, $S'(d)=0$을 만족시키는 d를 구하시오. [15점]

원점을 O라 하고, 점 P에서 원 $x^2+y^2=1$에 그은 한 접선의 접점을 B라 하자. 또한 세 점 이 이루는 각 $\angle$POB를 θ라 하자. 이때, 원점과 점 P$(t, \sqrt{6}(t-2)^2)$사이의 거리가 $L=\sqrt{t^2+6(t-2)^4}$이므로 원 $x^2+y^2=1$과 두 접선으로 둘러싸인 영역의 넓이를 다음과 같이 표현할 수 있다.
$$S(t)=\sqrt{L^2-1}-\theta(t), \quad \tan\theta(t)=\sqrt{L^2-1}$$
$S(t)$를 미분하면
$$S'(t)=\frac{LL'}{\sqrt{L^2-1}}-\theta', \quad (\sec^2\theta)\theta'=\frac{LL'}{\sqrt{L^2-1}}$$
이므로 정리하여 $S'(t)=\dfrac{\sqrt{L^2-1}}{L}L'$를 얻을 수 있다. $L>1$이므로 $S'(d)=0$이 되는 d를

149

찾는 것은 $L'(d)=0$을 만족하는 d를 찾는 것이 된다. $2LL'=2t+24(t-2)^3$이고 $t+12(t-2)^3=0$의 근은 $t=\dfrac{3}{2}$이다. 따라서 $d=\dfrac{3}{2}$이다.

7. 2022학년도 중앙대 수시 논술 (자연 Ⅰ)

[문제 1] 다음 상황에 기초하여 문제에 답하시오.

아래와 같이 번호가 부여된 8개의 의자가 있다. 1번부터 7번까지의 서로 다른 등번호를 부여받은 7명의 사람들을 7개의 의자에 앉히려고 한다.

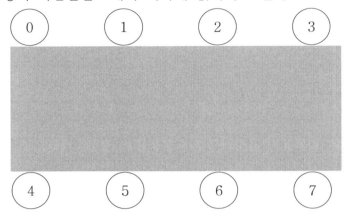

단, 자리를 배치할 때, 다음의 조건을 모두 만족하여야 한다.
- 한 의자에 2명 이상 앉을 수 없다.
- 모든 사람은 본인의 등번호보다 큰 번호의 의자에 앉을 수 없다.
- 등번호가 5번인 사람은 4번, 5번 의자 중 하나에 앉아야 한다.
- 등번호가 6번인 사람은 4번, 5번, 6번 의자 중 하나에 앉아야 한다.
- 등번호가 7번인 사람은 6번, 7번 의자 중 하나에 앉아야 한다.

자리를 배치하는 경우의 수를 구하시오. [20점]

먼저, 등번호가 5번, 6번, 7번인 사람의 자리를 고려하면 아래의 6가지 경우가 있다.

등번호	5	6	7	남은 자리
자리번호	4	5	6	{0, 1, 2, 3, 7}
	4	5	7	{0, 1, 2, 3, 6}
	4	6	7	{0, 1, 2, 3, 5}
	5	4	6	{0, 1, 2, 3, 7}
	5	4	7	{0, 1, 2, 3, 6}
	5	6	7	{0, 1, 2, 3, 4}

나머지 사람인 등번호 1, 2, 3, 4번의 사람이 앉을 수 있는 경우를 고려해보자.

예를 들어, 남은 자리가 {0, 1, 2, 3, 7}인 경우는 다음과 같이 계산된다.

- 등번호 1번 사람이 선택할 수 있는 경우의 수 - 2가지 (0번 자리, 1번 자리)
- 등번호 2번 사람이 선택할 수 있는 경우의 수 - 2가지 (0번, 1번, 2번 자리 중 등번호 1번이 선택하지 않은 자리)
- 등번호 3번 사람이 선택할 수 있는 경우의 수 - 2가지 (0번, 1번, 2번, 3번 자리 중 등번호 1번, 2번이 선택하지 않은 자리)

- 등번호 4번 사람이 선택할 수 있는 경우의 수 - 1가지 (0번, 1번, 2번, 3번 자리 중 등번호 1번, 2번, 3번이 선택하지 않은 자리) 따라서, 모든 경우의 수는 $2 \times 2 \times 2 \times 1 = 8$ 이다.

위의 계산과정을 모든 경우에 대하여 반복하면 아래와 같이 계산된다.

등번호	5	6	7	남은 자리	1, 2, 3, 4번이 앉을 수 있는 경우의 수
자리번호	4	5	6	{0, 1, 2, 3, 7}	$2 \times 2 \times 2 \times 1 = 8$
	4	5	7	{0, 1, 2, 3, 6}	$2 \times 2 \times 2 \times 1 = 8$
	4	6	7	{0, 1, 2, 3, 5}	$2 \times 2 \times 2 \times 1 = 8$
	5	4	6	{0, 1, 2, 3, 7}	$2 \times 2 \times 2 \times 1 = 8$
	5	4	7	{0, 1, 2, 3, 6}	$2 \times 2 \times 2 \times 1 = 8$
	5	6	7	{0, 1, 2, 3, 4}	$2 \times 2 \times 2 \times 2 = 16$

따라서, 모든 경우의 수는 $8 \times 5 + 16 = 56$이다.

[문제 2] 다음을 읽고 문제에 답하시오.

- 미분가능한 두 함수 $y = f(u)$, $u = g(x)$에 대하여 합성함수 $y = f(g(x))$의 도함수는 $\{f(g(x))\}' = f'(g(x))g'(x)$이다.

- 두 점 $A(a_1, a_2)$, $B(b_1, b_2)$에 대하여 벡터 $\overrightarrow{AB}$는 $(b_1 - a_1, b_2 - a_2)$로 주어진다.

- 함수 $f(x)$가 $x = a$에서 미분가능하고 $x = a$에서 극값을 가지면 $f'(a) = 0$이다. 미분가능한 함수 $f(x)$에 대하여 $f'(a) = 0$이고, $x = a$의 좌우에서 $f'(x)$의 부호가 양에서 음으로 바뀌면 $f(x)$는 $x = a$에서 극대이다.

[문제 2-1] 좌표평면 위의 곡선 $9y^2 = 64(1 - \sqrt{x})^3$의 길이를 구하시오.

(단, $x \geq \dfrac{1}{2}$, $y \geq 0$이다.) [10점]

주어진 식으로부터 x의 범위 $\dfrac{1}{2} \leq x \leq 1$를 얻는다. 그리고 합성함수 $y = \dfrac{8}{3}(1 - \sqrt{x})^{\frac{3}{2}}$를 미분하여 $\dfrac{dy}{dx} = -\dfrac{2(1 - \sqrt{x})^{\frac{1}{2}}}{\sqrt{x}}$을 얻는다. (또는 음함수 미분법을 이용하여 동일한 결과를 얻을 수 있다.) 마지막으로 다음과 같이 적분을 계산하여 해당 곡선의 길이를 구한다.

$$\int_{\frac{1}{2}}^{1} \sqrt{1 + (\frac{dy}{dx})^2}\, dx = \int_{\frac{1}{2}}^{1} \sqrt{1 + \frac{4(1 - \sqrt{x})}{x}}\, dx = \int_{\frac{1}{2}}^{1} \sqrt{\left(1 - \frac{2}{\sqrt{x}}\right)^2}\, dx$$

$$= \int_{\frac{1}{2}}^{1} \left(\frac{2}{\sqrt{x}} - 1\right) = \frac{7}{2} - 2\sqrt{2}$$

[문제 2-2] 좌표평면 위의 점 $P(x, y)$가 다음의 조건을 만족하면서 연속적으로 움직인다고 하자.

(가) 점 $P(x, y)$는 시각 $t = 0$일 때, $(\sqrt{2}, 0)$에서 출발하여 타원 $x^2 + 2y^2 = 2$를 따라 반시계방향으로 움직이기 시작한다.

(나) 점 $P(x, y)$는 시각 t $(t \geq 0)$일 때, 타원 $x^2 + 2y^2 = 2$의 두 초점 A와 B에 대하여 $\overrightarrow{PA} \cdot \overrightarrow{PB} = \dfrac{2+t^2}{2(1+t+t^2)}$을 만족한다.

삼각형 PAB의 넓이를 S라 할 때, S^2의 최댓값을 구하시오. [15점]

조건 (나)로부터

$$\frac{2+t^2}{2(1+t+t^2)} = \overrightarrow{PA} \cdot \overrightarrow{PB} = (-1-x, \ -y) \cdot (1-x, \ -y) = -1 + x^2 + y^2$$

을 얻은 후, (가)의 타원 방정식을 대입하여

$$\frac{2+t^2}{2(1+t+t^2)} = -1 + (2-2y^2) + y^2 = 1 - y^2 \Rightarrow \{y(t)^2\} = \frac{2t+t^2}{2(1+t+t^2)}$$

를 구한다. 이때 삼각형 PAB의 넓이는 $y(t)$이므로 $\{y(t)\}^2$의 최댓값을 구하면 된다.

$\{y(t)\}^2$의 최댓값을 구하기 위하여 $\{y(t)\}^2$의 미분을 계산하면 $\{y(t)^2\}' = \dfrac{2+2t-t^2}{2(1+t+t^2)^2}$이

므로, $t = 1 + \sqrt{3}$일 때 $\{y(t)\}^2$의 최댓값 $\{y(1+\sqrt{3})\}^2 = \dfrac{3+2\sqrt{3}}{6+3\sqrt{3}} = \dfrac{1}{\sqrt{3}}$을 가진 다는 것을

알 수 있다.

[문제 3] 다음을 읽고 문제에 답하시오.

- 함수 $f(x)$가 닫힌구간 $[a, b]$에서 연속이면 함수 $f(x)$는 이 닫힌구간에서 반드시 최댓값과 최솟값을 갖는다.
- 닫힌구간 $[a, b]$에서 두 함수 $f(x)$, $g(x)$의 도함수가 연속일 때 다음 식이 성립한다.

$$\int_a^b f(x)g'(x)dx = [f(x)g(x)]_a^b - \int_a^b f'(x)g(x)dx$$

- 미분가능한 함수 $g(t)$에 대하여 $x = g(t)$로 놓으면 $\displaystyle\int f(x)dx = \int f(g(t))g'(t)dt$이다.

[문제 3-1] 좌표평면 위의 두 점 A$(a, 0)$, B(b, b^2+1)과 원점 O가 이루는 삼각형 OAB의 넓이가 4라고 하자. 이때 $20(2a+b^2) - (2a+b^2)^2$의 최댓값 M과 최솟값 m을 각각 구하시오. (단, $a \geq 1$이다.) [10점]

넓이 조건에서 $a(b^2+1) = 8$이 나온다. $1+b^2 \geq 1$이므로 $a \leq 8$이고 범위 $1 \leq a \leq 8$을 얻을

수 있다. $a(b^2+1) = 8$을 대입하면 $2a+b^2 = 2a + \dfrac{8}{a} - 1 = f(a)$이 되고 미분하여 $a = 2$에서

최솟값 $f(2) = 7$을 갖고 $f(1) = 9$, $f(8) = 16$이므로 $7 \leq 2a+b^2 \leq 16$이다. 이 구간에 대

하여 $20(2a+b^2) - (2a+b^2)^2$은 $2a+b^2 = 10$에서 최댓값 $M = 100$을 가지고 $2a+b^2 = 16$에서

최솟값 $m = 64$을 갖는다.

[문제 3-2] $0 \le x \le \dfrac{\pi}{3}$에서 정의된 연속함수 $f(x)$는 다음을 만족한다.

(가) $(f(x))^2\cos^2 x - 2f(x)(1+\sin x)\cos x + (1+\sin x)^2\cos^2 x = 0$

(나) $f\left(\dfrac{\pi}{6}\right) = \dfrac{3\sqrt{3}}{2}$

이때 정적분 $\displaystyle\int_0^{\frac{\pi}{6}} \{f'(x)\cos x - f(x)\sin x\}e^{\sin x}dx$의 값을 구하시오. [15점]

[방법 1]

조건 (가)에서 주어진 식을 $(1+\sin x)^2$로 나누고 이차방정식을 풀어서 정리하면

$\dfrac{\cos x}{1+\sin x}f(x) = 1 \pm \sin x$이고 조건 (나)를 만족시키는 연속함수는 다음과 같다.

$$\cos x\, f(x) = (1+\sin x)^2 \qquad (*)$$

$f'(x)\cos x - f(x)\sin x = (f(x)\cos x)'$을 고려하고 $(*)$을 쓰면

$(f(x)\cos x)' = ((1+\sin x)^2)' = 2(1+\sin x)\cos x$이므로

$$\int_0^{\frac{\pi}{6}}(f'(x)\cos x - f(x)\sin x)e^{\sin x}dx = \int_0^{\frac{\pi}{6}}2(\sin x+1)\cos x\,e^{\sin x}dx$$

이고 $\sin x = t$로 치환적분하면 $\displaystyle\int_0^{\frac{1}{2}}2(t+1)e^t dt$이 되고 부분적분하면 $\sqrt{e}$가 된다.

[방법 2]

조건 (가)에서 주어진 식을 $f(x)$에 대한 이차방정식으로 보고 풀어서 정리하면

$$f(x) = \dfrac{(1+\sin x)(1\pm\sin x)}{\cos x}$$

이다.

(또는 주어진 식을 $(1+\sin x)^2$로 나누고 이차방정식을 풀어서 정리하면

$\dfrac{\cos x}{1+\sin x}f(x) = 1 \pm \sin x$이다.)

조건 (나)를 만족시키는 연속함수는 다음과 같다.

$$\cos x\, f(x) = (1+\sin x)^2 \qquad (*)$$

$f'(x)\cos x - f(x)\sin x = (f(x)\cos x)'$을 고려하여 부분적분하면

$$\int_0^{\frac{\pi}{6}}(f'(x)\cos x - f(x)\sin x)e^{\sin x}dx$$

$$= \left[f(x)\cos x\, e^{\sin x}\right]_0^{\frac{\pi}{6}} - \int_0^{\frac{\pi}{6}}f(x)\cos x\, e^{\sin x}\cos x\, dx$$

을 얻고 방정식 $(*)$를 이용하면

$$\left[(1+\sin)^2 e^{\sin x}\right]_0^{\frac{\pi}{6}} - \int_0^{\frac{\pi}{6}} f(x)\cos x\, e^{\sin x}\cos x\, dx = \left(\frac{9}{4}\sqrt{e}-1\right) - \int_0^{\frac{\pi}{6}} (1+\sin x)^2 e^{\sin}\cos x\, dx$$

이다. $1+\sin x = t$**로 치환적분하면**

$$\int_0^{\frac{\pi}{6}} (1+\sin x)^2 e^{\sin x}\cos x\, dx = \int_1^{\frac{3}{2}} t^2 e^{t-1}\, dt = \frac{5}{4}e^{\frac{1}{2}}-1$$

이다. 합산하면 답은 $\sqrt{e}$**이다.**

8. 2022학년도 중앙대 수시 논술 (자연 II)

[문제 1] 다음 상황에 기초하여 문제에 답하시오.

그림과 같이 좌표평면 위에 좌표가 $(1,1),(1,2),\cdots,(m,n)$인 $m\times n$점이 있다. 이 중 4개의 점을 택하여 만들 수 있는 직사각형 중 넓이가 1인 것을 제외한 개수를 $A(m,n)$이라고 정의한다. (단, m, n은 1보다 큰 자연수이다.)

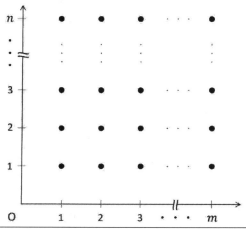

$A(3,100) - A(2,100)$을 구하시오. **[20점]**

1) $m=2$**인 경우**

-가로 방향의 2개의 선과 세로 방향의 n**개의 선들 중에서 2개를 선택하여 만들 수 있는 직사각형의 개수를 구하면** ${}_2C_2 \times {}_nC_2$**이다.**

-이때, 넓이가 1인 직사각형의 개수는 $n-1$**이다.**

-따라서,

$A(2,\ n) = {}_2C_2 \times {}_nC_2 - (n-1) = {}_nC_2 - (n-1)$**이다.이다.**

2) $m=3$**인 경우**

-가로 방향의 3개의 선들 중에서 2개를 선택하고 세로 방향의 n**개의 선들 중에서 2개를 선택하여 만들 수 있는 직사각형의 개수를 구하면** ${}_3C_2 \times {}_nC_2$**이다.**

-가로와 세로가 아니더라도 서로 직교하는 선분은 $n-2$**개 존재한다.**

예시)

-이때, 넓이가 1인 직사각형의 개수는 $2(n-1)$**이다.**

-따라서, $A(3,\ n) = {}_3C_2 \times {}_nC_2 + (n-2) - 2(n-1) = 3\,{}_nC_2 - n$

따라서, $A(3, n) - A(2, n) = 3_n C_2 - n - {}_n C_2 + (n-1) = 2_n C_2 - 1$이므로,

$$A(3, 100) - A(2, 100) = 2_{100} C_2 - 1 = 9899$$

이다.

[문제 2] 다음을 읽고 문제에 답하시오.

- 함수 $f(x)$가 $x=a$에서 미분가능하고 $x=a$에서 극값을 가지면 $f'(a)=0$이다.
- 다항식 $P(x)$에 대하여 $P(a)=0$일 때, $P(x)$를 $x-a$로 나눈 몫을 $Q(x)$라 하면 $P(x)=(x-a)Q(x)$이다.
- 각 α와 β에 대하여 다음 식이 성립한다.

$$\sin(\alpha+\beta) = \sin\alpha\cos\beta + \cos\alpha\sin\beta, \quad \sin(\alpha-\beta) = \sin\alpha\cos\beta - \cos\alpha\sin\beta$$
$$\cos(\alpha+\beta) = \cos\alpha\cos\beta - \sin\alpha\sin\beta, \quad \cos(\alpha-\beta) = \cos\alpha\cos\beta + \sin\alpha\sin\beta$$

- 함수 $f(t)$가 닫힌구간 $[a, b]$에서 연속일 때 다음 식이 성립한다.

$$\frac{d}{dx}\int_a^x f(t)dt = f(x) \quad (단, \ a < x < b)$$

[문제 2-1] x에 대한 방정식 $2x^3 + 3kx^2 - (2k^2 + k - 2) = 0$이 단 하나의 실근을 가지게 하는 실수 k의 범위를 구하시오. (단, $k \geq 0$이다.) [10점]

$f(x) = 2x^3 + 3kx^2 - (2k^2 + k - 2)$라 하자. 우선 $k=0$인 경우 해가 하나인 것을 확인한 후, $k>0$이라 가정한다. 이때 $f'(x) = 6x(x+k)$이므로 $f(x)$는 $x=-k$에서 극대, $x=0$에서 극소이다. 따라서 단 하나의 해를 가지기 위해서는 $f(0) = -(2k^2 + k - 2) > 0$또는

$$f(-k) = k^3 - 2k^2 - k + 2 = (k+1)(k-1)(k-2) < 0 \Rightarrow (k-1)(k-2) < 0$$

이다. 위 부등식을 풀어 k의 범위 $0 \leq k < \dfrac{-1 + \sqrt{17}}{4}$ 또는 $1 < k < 2$를 얻는다.

[문제 2-2] 연속함수 $f(x)$가 모든 실수 x에 대하여

$$\int_0^x f(t)\sin(x-t)dt = \ln(1+x^2)$$

을 만족한다. 이때 정적분 $\displaystyle\int_0^2 xf(x)dx$의 값을 구하시오. [15점]

우선 사인함수의 덧셈정리를 적용하여 식을 다음과 같이 정리한다.

$$\ln(1+x^2) = \int_0^x f(t)\sin(x-t)dt = \int_0^x f(t)(\sin x\cos t - \cos x\sin t)dt$$
$$= \sin x\left\{\int_0^x f(t)\cos t\,dt\right\} - \cos x\left\{\int_0^x f(t)\sin t\,dt\right\}$$

위의 식을 미분하면

$$\frac{2x}{1+x^2} = \cos x\left\{\int_0^x f(t)\cos t\,dt\right\} + \sin x\left\{\int_0^x f(t)\sin t\,dt\right\}$$

이므로, 위 두 식에 각각 $\sin x$, $\cos x$를 곱하여 더해

$$\int_0^x f(t)\cos t\,dt = \ln(1+x^2)\sin x + \frac{2x}{1+x^2}\cos x$$

를 얻는다. (또는 비슷한 방법으로 $\int_0^x f(t)\sin t\,dt = \frac{2x}{1+x^2}\sin x - \ln(1+x^2)\cos x$를 얻을 수 있다.) 위 식을 미분하면

$$f(x)\cos x = \ln(1+x^2)\cos x + \left(\frac{2x}{1+x^2}\right)'\cos x$$

(또는 $f(x)\sin x = \left(\frac{2x}{1+x^2}\right)'\sin x + \ln(1+x^2)\sin x$이므로 $f(x) = \ln(1+x^2) + \left(\frac{2x}{1+x^2}\right)'$이다.

따라서

$$\int_0^2 xf(x)\,dx = \int_0^2 x\ln(1+x^2)\,dx + \int_0^2 x\left(\frac{2x}{1+x^2}\right)'\,dx$$

이다. 첫 번째 적분은 치환적분과 부분적분을 이용하여 계산하고

$$\int_0^2 x\ln(1+x^2)\,dx = \frac{1}{2}\int_1^5 \ln u\,du = \frac{1}{2}[u\ln u - u]_1^5 = -2 + \frac{5}{2}\ln 5$$

두 번째 적분은 부분적분을 하여 값을 구한다.

$$\int_0^2 x\left(\frac{2x}{1+x^2}\right)'\,dx = \left[\frac{2x^2}{1+x^2}\right]_0^2 - \int_0^2 \frac{2x}{1+x^2}\,du = \frac{8}{5} - [\ln(1+x^2)]_0^2 = \frac{8}{5} - \ln 5$$

마지막으로 위의 적분 값을 더하여 정답 $\frac{3}{2}\ln 5 - \frac{2}{5}$을 얻는다.

[문제 3] 다음을 읽고 문제에 답하시오.

- 닫힌구간 $[a, b]$에서 두 함수 $f(x)$, $g(x)$의 도함수가 연속일 때 다음 식이 성립한다.

$$\int_a^b f(x)g'(x)\,dx = [f(x)g(x)]_a^b - \int_a^b f'(x)g(x)\,dx$$

- 점 (a, b)와 점 (b, a)는 직선 $y = x$에 대하여 대칭이다.
- 두 평면벡터 $\vec{a}$, $\vec{b}$가 이루는 각의 크기가 θ일 때, $\vec{a}$와 $\vec{b}$의 내적은 $\vec{a} \cdot \vec{b} = |\vec{a}||\vec{b}|\cos\theta$이다.

[문제 3-1] 실수 θ에 대하여 영역 $A = \{(x, y)|(x-1)^2 + y^2 \leq 1,\ y \geq (\tan\theta)x\}$의 넓이를 $g(\theta)$라 하자. 정적분 $\int_0^{\frac{\pi}{4}} \frac{g(\theta)}{\cos^2\theta}d\theta$의 값을 구하시오. (단, $0 \leq \theta \leq \frac{\pi}{4}$이다.) [10점]

직선 $y = (\tan\theta)x$는 x축의 양의 방향과 θ의 각을 이루는 직선이므로 원의 성질을 이용하면 $g(\theta) = \frac{1}{2}(\pi - 2\theta) - \sin\theta\cos\theta = \frac{\pi}{2} - \theta - \sin\theta\cos\theta$을 얻는다.

$$\int_0^{\frac{\pi}{4}} \frac{\frac{\pi}{2}-\theta-\sin\theta\cos\theta}{\cos^2\theta}d\theta = \int_0^{\frac{\pi}{4}}\left(\frac{\pi}{2}\sec^2\theta - \theta\sec^2\theta - \tan\theta\right)d\theta$$

이고 부분적분을 하면

$$\int_0^{\frac{\pi}{4}} -\theta\sec^2\theta\,d\theta = [-\theta\tan\theta]_0^{\frac{\pi}{4}} + \int_0^{\frac{\pi}{4}}\tan\theta\,d\theta = \int_0^{\frac{\pi}{4}}\tan\theta\,d\theta - \frac{\pi}{4}$$

이다. 정리하면 주어진 정적분은

$$\int_0^{\frac{\pi}{4}}\frac{\pi}{2}\sec^2\theta\,d\theta - \frac{\pi}{4} = \frac{\pi}{2}[\tan\theta]_0^{\frac{\pi}{4}} - \frac{\pi}{4} = \frac{\pi}{4}$$

이다.

[문제 3-2] $x \geq 1$에서 정의된 함수 $f(x) = \frac{1}{14+8\sqrt{3}}\ln x(\ln x - 1)^2$에 대하여, 원점이 O인 좌표평면 위의 점 A$(t, f(t))$가 있다. 점 A를 직선 $y=x$에 대하여 대칭시킨 점을 B라 할 때, 두 벡터 $\frac{\overrightarrow{OA}}{|\overrightarrow{OA}|}$와 $\frac{\overrightarrow{OB}}{|\overrightarrow{OB}|}$의 내적의 최댓값을 구하시오. (단, $x \geq 1$에서 $f(x) \leq \sqrt{x}$ 이다.) [15점]

$\angle AOB = \theta$라 하자. 내적 정의를 고려하면 주어진 값은 $\cos\theta$임을 알 수 있다. 곡선 $y = \frac{1}{14+8\sqrt{3}}\ln x(\ln x - 1)^2$은 $x=1$, $x=e$(중근)에서 근을 가지고 $x \geq e$에서 증가하면서 $f(x) \leq \sqrt{x}$이다. 원점에서 곡선 $y = f(x)$에 그은 접선 중 기울기가 최대인 경우에 $\cos\theta$이 최댓값을 갖는다. $(a, f(a))$에서의 접선이 원점을 지나면 $f(a) = af'(a)$을 만족한다. 계산하면 $\ln a(\ln a - 1)^2 = (\ln a - 1)^2 + 2\ln a(\ln a - 1)$이고 $(\ln a - 1)$이 공통 인수이므로 나머지를 정리하면 $(\ln a)^2 - 4(\ln a) + 1 = 0$이고 $\ln a = 2 \pm \sqrt{3}$을 얻을 수 있다.

$\ln a = 2-\sqrt{3}$에 대응하는 접점은 $\left(e^{2-\sqrt{3}}, \frac{7-4\sqrt{3}}{7+4\sqrt{3}}\right)$이고

$\ln a = 2+\sqrt{3}$에 대응하는 접점은 $\left(e^{2+\sqrt{3}}, 1\right)$이다.

두 접점의 기울기를 비교해보자. $e < 3$, $\sqrt{3} < 2$을 고려하면 $e^{2\sqrt{3}} < 3^4 = 81$이고 이를 이용하면 다음을 보일 수 있다.

$$\frac{7-4\sqrt{3}}{(7+4\sqrt{3})e^{2-\sqrt{3}}} < \frac{1}{e^{2+\sqrt{3}}} \Leftrightarrow e^{2\sqrt{3}} < \frac{7+4\sqrt{3}}{7-4\sqrt{3}} = (7+4\sqrt{3})^2 = 97+56\sqrt{3}$$

따라서 $A\left(e^{2+\sqrt{3}}, 1\right)$, $B\left(1, e^{2+\sqrt{3}}\right)$일 때 최댓값 $\frac{2e^{2+\sqrt{3}}}{1+e^{4+2\sqrt{3}}}$을 갖는다.

9. 2022학년도 중앙대 수시 논술 (자연 Ⅲ)

[문제 1] 다음 상황에 기초하여 문제에 답하시오.
위의 규칙에 따라 이동한 두 점 A와 B에서 원점까지의 거리를 각각 구하였다. 이때 각 거리 제곱의 차이가 최소가 되는 순서쌍 (a, b)를 모두 구하시오. [20점]

아래와 같이 원점에서의 거리의 제곱을 구할 수 있다.

A	원점에서 A까지 거리 거리의 제곱	B	원점에서 B까지거리의 제곱
$(1,\ 3)$	10	$(1,\ \sqrt{5})$	6
$(2,\ 4)$	20	$(2,\ \sqrt{8})$	12
$(3,\ 6)$	45	$(3,\ 3)$	18
$(4,\ 10)$	116	$(4,\ \sqrt{8})$	24
		$(5,\ \sqrt{5})$	30
		$(6,\ 0)$	36

각 거리 제곱의 차이가 최소가 되는 경우는 아래와 같다.

- $A=(1,\ 3)$과 $B=(2,\ \sqrt{8})$일 때, 거리의 제곱의 차이는 $|10-12|=2$
- $A=(2,\ 4)$와 $B=(3,\ 3)$일 때, 거리의 제곱의 차이는 $|20-18|=2$

이때의 순서쌍 $(a,\ b)$는 $(1,\ 2),\ (2,\ 3)$이다.

[문제 2] 다음을 읽고 문제에 답하시오.

- 함수 $y=f(x)$의 $x=a$에서의 미분계수는 $f'(a)=\lim\limits_{\Delta x \to 0}\dfrac{f(a+\Delta x)-f(a)}{\Delta x}$이다.

- 미분가능한 두 함수 $y=f(u),\ u=g(x)$에 대하여 합성함수 $y=f(g(x))$의 도함수는 $\{f(g(x))\}'=f'(g(x))g'(x)$이다.

- 함수 $f(x)$가 임의의 실수 $a,\ b,\ c$를 포함하는 닫힌구간에서 연속일 때, 다음 식이 성립한다.

$$\int_a^c f(x)dx = \int_a^b f(x)dx + \int_b^c f(x)dx$$

- $\lim\limits_{n \to \infty}a_n = \lim\limits_{n \to \infty}b_n = L$ (L은 실수)이고 모든 자연수 n에 대하여 $a_n \le c_n \le b_n$이면 $\lim\limits_{n \to \infty}c_n = L$이다.

[문제 2-1] 미분가능한 함수 $f(x)$가 모든 자연수 k에 대하여

$$\lim_{x \to k}\frac{f(x)-k}{x-k}=f(k)\sqrt{f(k)} \quad (단,\ f(x) \ge 0)$$

을 만족한다. $g(x)=f(f(x))$라 할 때, $\sum\limits_{n=1}^{20}g'(n)$의 값을 구하시오. [10점]

$\lim\limits_{x \to k}\dfrac{f(x)-k}{x-k}$가 극한이 존재하기 위해서는 $f(k)=k$이어야 한다. 또한 미분의 정의에 의해 $f'(k)=f(k)\sqrt{f(k)}=k^{\frac{3}{2}}$이므로, 합성함수 미분법에 의해

$$g'(n)=f'(f(n))f'(n)=(f'(n))^2=n^3$$

이다. 따라서 $\sum\limits_{n=1}^{20}g'(n)=\sum\limits_{n=1}^{20}n^3=\left(\dfrac{20 \cdot 21}{2}\right)^2=44100$이다.

[문제 2-2] 자연수 n에 대하여 I_n을

$$I_n = \int_0^{n\pi} \{|\sin x|\cos^2 x + \sin^5(2x)\cos x\}dx$$

라 정의할 때, 극한 $\lim\limits_{n \to \infty} \dfrac{I_n}{n}$의 값을 구하시오. [15점]

> 우선 적분 구간을 나누어
>
> $$I_n = \sum_{k=0}^{n-1} \int_{k\pi}^{(k+1)\pi} \{|\sin x|\cos^2 x + \sin^5(2x)\cos x\}dx$$
>
> 로 표현한다. 각 적분에 치환적분 $(u = x - k\pi)$을 한 후, 삼각함수의 성질을 이용하여
>
> $$\int_{k\pi}^{(k+1)\pi} \{|\sin x|\cos^2 x + \sin^5(2x)\cos x\}dx$$
>
> $$= \int_0^\pi \{|\sin(u+k\pi)|\cos^2(u+k\pi) + \sin^5(2(u+k\pi))\cos(u+k\pi)\}du$$
>
> $$= \int_0^\pi \{\sin u \cos^2 u + \sin^5(2u)(-1)^k \cos u\}du$$
>
> 를 얻는다. 치환적분 $(t = \cos u)$에 의해 $\int_0^\pi \sin u \cos^2 u\, du = \dfrac{2}{3}$이므로
>
> $$\frac{I_n}{n} = \frac{1}{n}\sum_{k=0}^{n-1}\left\{\frac{2}{3} + (-1)^k \int_0^\pi \sin^5(2u)\cos u\, du\right\} = \frac{2}{3} + \frac{1}{n}\left\{\sum_{k=0}^{n-1}(-1)^k\right\}\int_0^\pi \sin^5(2u)\cos u\, du$$
>
> 이다. 그런데 $0 \leq \dfrac{1}{n}\sum\limits_{k=0}^{n-1}(-1)^k \leq \dfrac{1}{n}$ (여기서 $\sum\limits_{k=0}^{n-1}(-1)^k$는 0또는 1을 이용하였다.)이므로
>
> $\dfrac{I_n}{n}$의 극한은 $\dfrac{2}{3}$이다.

[문제 3] 다음을 읽고 문제에 답하시오.

> - 함수 $y = f(x)$의 그래프와 그 역함수 $y = f^{-1}(x)$의 그래프는 직선 $y = x$에 대하여 대칭이다.
> - 점 (x_1, y_1)과 직선 $px + qy + r = 0$사이의 거리는 $\dfrac{|px_1 + qy_1 + r|}{\sqrt{p^2 + q^2}}$이다.
> - 두 벡터 $\overrightarrow{OA}$와 $\overrightarrow{OB}$의 내적을 $\overrightarrow{OA} \cdot \overrightarrow{OB}$로 나타낸다.
> - 이차방정식 $ax^2 + bx + c = 0$ $(a \neq 0)$의 두 근을 α, β라 하면 $\alpha + \beta = -\dfrac{b}{a}$, $\alpha\beta = \dfrac{c}{a}$이다.

[문제 3-1] 함수 $f(x) = x + \dfrac{1}{2(x+1)^2}$ $(x \geq 0)$과 그 역함수 $f^{-1}(x)$가 있다. 좌표평면 위에서 $y = f(x)$의 그래프 위의 점 A를 지나고 기울기가 -1인 직선을 l이라 할 때, 직선 l과 역함수 $y = f^{-1}(x)$의 교점을 B라 하자. 두 점 A, B와 원점 O가 이루는 삼각형 OAB의 넓이가 최대가 되게 하는 점 A의 좌표를 구하시오. [10점]

$A\left(t,\ t+\dfrac{1}{2(t+1)^2}\right)$일 때, 역함수의 성질에 의하여 $B\left(t+\dfrac{1}{2(t+1)^2},\ t\right)$이다. 점 A를 지나고 기울기가 -1인 직선의 방정식은 $x-t+y-\left(t+\dfrac{1}{2(t+1)^2}\right)=0$이므로 원점에서 거리는 $\dfrac{1}{\sqrt{2}}\left(2t+\dfrac{1}{2(t+1)^2}\right)$이고 선분 AB의 길이는 $\dfrac{1}{\sqrt{2}(t+1)^2}$이다. 삼각형 OAB의 넓이를 $h(t)$라 하면

$$h(t)=\frac{1}{4}\left(2t+\frac{1}{2(t+1)^2}\right)\frac{1}{(t+1)^2}$$

이다. t에 대하여 미분하면

$$h'(t)=\frac{1}{2(t+1)^5}(-t^3-t^2+t)$$

을 얻고 $t=\dfrac{\sqrt{5}-1}{2}$에서 최댓값을 갖는다. 이때, 점 A의 좌표는 $\left(\dfrac{\sqrt{5}-1}{2},\ \dfrac{\sqrt{5}+1}{4}\right)$이다.

[문제 3-2] 좌표평면 위에 세 점 A(1, 0), B(3, 0), C(0, 2)가 있고, 점 P가 다음을 만족한다.

(가) $\overrightarrow{PA}\cdot\overrightarrow{PB}=0$

(나) 두 실수 x, y에 대하여 $\overrightarrow{PC}=x\overrightarrow{PA}+y\overrightarrow{PB}$이다.

$\dfrac{x+y}{x+3y}$의 최댓값을 M, 최솟값을 m이라 할 때, mM^2+Mm^2의 값을 구하시오. [15점]

$P(a,\ b)$라 하자. 조건 (가)에서 $(a-2)^2+b^2=1$이 나온다. 조건 (나)에서 $x+y=\dfrac{b-2}{b}$

와 $a(x+y)-x-3y=a$가 나오고 정리하면 $x+y=\dfrac{b-2}{b}$와 $x+3y=-\dfrac{2a}{b}$이다.

따라서 $\dfrac{x+y}{x+3y}=\dfrac{2-b}{2a}$이다. $\dfrac{2-b}{2a}=k$로 놓으면 $b=-2ka+2$이고 이것은 $(0,\ 2)$를 지나고 기울기 $-2k$인 직선의 방정식이다. k가 최대, 최소가 되는 것은 원 $(a-2)^2+b^2=1$에 접할 때이다. $(2,\ 0)$에서 직선에 이르는 거리는 $\dfrac{|4k-2|}{\sqrt{4k^2+1}}=1$이고 정리하면

$$12k^2-16k+3=0$$

이다. $M=\dfrac{4+\sqrt{7}}{6},\quad m=\dfrac{4-\sqrt{7}}{6}$ 근과 계수의 관계에 의하여

$$mM^2+Mm^2=mM(m+M)=\frac{3}{12}\times\frac{16}{12}=\frac{1}{3}$$

이다.

(참고로 $M=\dfrac{4+\sqrt{7}}{6}$, $m=\dfrac{4-\sqrt{7}}{6}$이다.)

10. 2022학년도 중앙대 모의 논술

[문제 1] 다음 상황에 기초하여 문제에 답하시오.

- 다음과 같이 두 종류의 정다면체 주사위를 고려한다. 즉, 정사면체 주사위는 각 면에 1부터 4까지의 자연수가 중복되지 않게 한 번씩 적혀있고, 정팔면체 주사위는 각 면에 1부터 8까지의 자연수가 같은 방식으로 적혀있다. 이때 각 주사위를 던졌을 때 밑면에 적혀있는 수를 그 주사위의 눈의 수라고 정의한다.

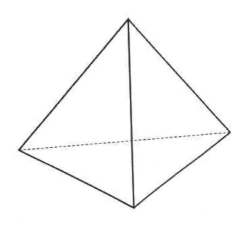

정사면체 주사위   정팔면체 주사위

- 두 가지 정다면체 주사위를 각각 한 번씩 던지는 실험을 시행할 때, 정사면체 주사위를 던져서 나오는 눈의 수를 a라고 하고 정팔면체 주사위를 던져서 나오는 눈의 수를 b라고 한다.
- 이때 원 $x^2 + y^2 = a^2$과 직선 $y = |b-4|$가 서로 다른 두 점에서 만날 때, 두 점 사이의 선분 의 길이를 l이라고 한다.

$\sqrt{15} \le l \le \sqrt{20}$ 을 만족시키는 순서쌍 (a, b)를 모두 구하시오. [20점]

▶ a가 가능한 값은 1, 2, 3, 4이고, b가 가능한 값은 1, 2, 3, 4, 5, 6, 7, 8이다. 이때, $|b-4|$가 가능한 값은 0, 1, 2, 3, 4이다.

▶ $a = 1$일 때, 원 $x^2 + y^2 = 1$과 직선 $y = |b-4|$가 서로 다른 두 점에서 만나는 경우는 $|b-4| = 0$일 때이다. 즉, 원 $x^2 + y^2 = 1$과 직선 $y = 0$이 만나는 두 점 사이의 선분의 길이는 $l = 2$이다.

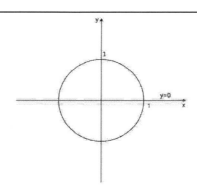

▶ $a=2$일 때, 원 $x^2+y^2=4$와 직선 $y=|b-4|$가 서로 다른 두 점에서 만나는 경우는 $|b-4|=0$또는 $|b-4|=1$일 때이다 (즉, $y=0$또는 $y=1$이다). 이때 원과 직선이 만나는 두 점 사이의 선분의 길이는 직각삼각형에서 피타고라스 정리를 사용하면 $l=4$또는 $l=2\sqrt{3}$임을 알 수 있다.

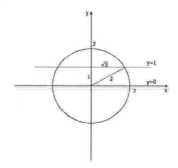

▶ $a=3$일 때, 원 $x^2+y^2=9$와 직선 $y=|b-4|$가 서로 다른 두 점에서 만나는 경우는 $|b-4|=0$, $|b-4|=1$또는 $|b-4|=2$일 때이다 (즉, $y=0$, $y=1$ 또는 $y=2$이다). 이때 원과 직선이 만나는 두 점 사이의 선분의 길이는 직각삼각형에서 피타고라스 정리를 사용하면 $l=6$, $l=4\sqrt{2}$또는 $l=2\sqrt{5}$임을 알 수 있다.

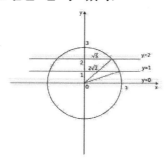

▶ $a=4$일 때, 원 $x^2+y^2=16$과 직선 $y=|b-4|$가 서로 다른 두 점에서 만나는 경우는 $|b-4|=0$, $|b-4|=1$, $|b-4|=2$ 또는 $|b-4|=3$일 때이다 (즉, $y=0$, $y=1$, $y=2$ 또는 $y=3$이다). 이때 원과 직선이 만나는 두 점 사이의 선분의 길이는 직각삼각형에서 피타고라스 정리를 사용하면 $l=8$, $l=2\sqrt{15}$, $l=4\sqrt{3}$ 또는 $l=2\sqrt{7}$임을 알 수 있다.

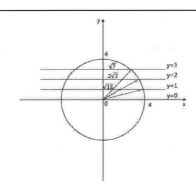

▶ 이때 $\sqrt{15} \le l \le \sqrt{20}$ 을 만족하는 경우는 다음과 같다.

l	a	$\|b-4\|$	b
$4 = \sqrt{16}$	2	0	4
$2\sqrt{5} = \sqrt{20}$	3	2	2
$2\sqrt{5} = \sqrt{20}$	3	2	6

▶ 따라서 조건을 만족시키는 순서쌍 (a, b)는 $(2, 4), (3, 2), (3, 6)$이다.

[문제 2] 다음을 읽고 문제에 답하시오.

- 각 θ에 대하여 식 $\sin^2\theta + \cos^2\theta = 1$이 성립한다.
- 미분가능한 함수 $g(x)$에 대하여 $g(x) = t$로 놓으면, 다음 식이 성립한다.

$$\int f(g(x))g'(x)dx = \int f(t)dt$$

- 각 α와 β에 대하여 다음 식이 성립한다.

$$\tan(\alpha - \beta) = \frac{\tan\alpha - \tan\beta}{1 + \tan\alpha\tan\beta}$$

- 미분가능한 두 함수 $y = f(u)$, $u = g(x)$에 대하여 합성함수 $y = f(g(x))$의 도함수는 $\{f(g(x))\}' = f'(g(x))g'(x)$이다.

[문제 2-1] 다음 정적분의 값을 구하시오. [10점]

$$\int_0^{\frac{\pi}{6}} \frac{(1-\sin x)^2}{\cos^3 x} dx$$

적분을 하는 함수의 분모와 분자에 $(1+\sin x)^2$를 곱한 후, 제시문의 삼각함수 공식을 적용하여 다음과 같이 식을 정리한다.

$$\frac{(1-\sin x)^2(1+\sin x)^2}{\cos^3 x(1+\sin x)^2} = \frac{(1-\sin^2 x)^2}{\cos^3 x(1+\sin x)^2} = \frac{\cos x}{(1+\sin x)^2}$$

그리고 $u = \sin x$로 치환하여 적분을 계산한다.

$$\int_0^{\frac{\pi}{6}} \frac{(1-\sin x)^2}{\cos^3 x} dx = \int_0^{\frac{\pi}{6}} \frac{\cos x}{(1+\sin x)^2} dx = \int_0^{\frac{1}{2}} \frac{du}{(1+u)^2} = -\frac{2}{3} - (-1) = \frac{1}{3}$$

[문제 2-2] 좌표평면 위에서 점 P는 시각 $t(\geq 0)$에 따라 다음의 조건을 만족하며 움직인다고 하자.

(가) 시각 $t = 0$일 때 점 P의 위치는 원점 O이다.

(나) 점 P는 시간이 증가함에 따라 x축 방향으로 움직이며, 시각 t일 때 좌표를 $(s(t),\ 0)$으로 표현할 수 있다.

(다) 시각 t일 때 점 P의 속력은 $v(t) = \dfrac{\ln(t+1)}{t+1}$이다.

점 P를 중심으로 점 A$(-2,\ 2)$와 점 B$(-1,\ 1)$이 이루는 각 $\angle APB$를 $\theta(t)$라 할 때, $\theta(t)$가 최댓값을 가지는 시각 t_0에 대하여 $\theta''(t_0)$을 구하시오. [15점]

우선 $z = \ln(t+1)$로 치환하여 $s(t)$를 구한다.

$$s(t) = \int_0^t \frac{\ln(u+1)}{u+1}\,du = \int_0^{\ln(t+1)} z\,dz = \frac{(\ln(t+1))^2}{2}.$$

각 $\angle BPO$를 α라고 하고, 탄젠트 함수의 공식을 이용하여

$$\tan\theta = \frac{\tan(\theta+\alpha)-\tan\alpha}{1+\tan(\theta+\alpha)\tan\alpha} = \frac{\dfrac{2}{s+2}-\dfrac{1}{s+1}}{1+\dfrac{2}{s+2}\dfrac{1}{s+1}} = \frac{s}{s^2+3s+4}.$$

를 얻는다. 이때, 양변을 t에 대해 미분하여,

$$\sec^2\theta\,\frac{d\theta}{dt} = \frac{\dfrac{ds}{dt}(s^2+3s+4) - s\left(2s\dfrac{ds}{dt}+3\dfrac{ds}{dt}\right)}{(s^2+3s+4)^2} = \frac{v(4-s^2)}{(s^2+3s+4)^2}$$

을 구하고, 앞에서 얻은 $\tan\theta$를 삼각함수 공식 $1+\tan^2\theta = \sec^2\theta$에 적용하여,

$$\frac{d\theta}{dt} = \frac{v(4-s^2)}{(s^2+3s+4)^2}\left(1+\left(\frac{s}{s^2+3s+4}\right)^2\right)^{-1} = \frac{v(4-s^2)}{(s^2+3s+4)^2+s^2}$$

을 얻는다. 따라서 θ가 최대가 되게 하는 t_0는 $s(t_0)=2$를 만족하고 $t_0 = e^2-1$이다.

이제 시각 t_0에서 θ의 이계도함수를 구하기 위해, 앞에서 얻은 $\dfrac{d\theta}{dt}$를 t에 대해 미분을 하면

$$\theta''(t) = \left(\frac{v}{(s^2+3s+4)^2+s^2}\right)'(4-s^2) + \frac{v}{(s^2+3s+4)^2+s^2}(4-s^2)'$$

인데, 여기서 $s(t_0)=2$(따라서 $4-s(t_0)^2 = 0$) 을 이용하면 첫 번째 항은 분수함수의 미분값과 관계없이 0임을 알 수 있다. 마지막으로 $s(t_0)=2$와 $t_0 = e^2-1$를 대입하여 정답을 얻는다.

$$\theta''(t_0) = \frac{v(t_0)\left(-2s(t_0)s'(t_0)\right)}{\left(s(t_0)^2+3s(t_0)+4\right)^2+s(t_0)^2} = -\frac{v(t_0)^2}{50} = -\frac{(\ln(t_0+1))^2}{50(t_0+1)^2} = -\frac{2}{25e^4}$$

[문제 3] 다음을 읽고 문제에 답하시오.

[문제 3-1] 좌표평면 위의 영역 R는 다음의 조건 (가)가 조건 (나)의 필요충분조건이 되도록 정의되어 있다.

> **(가)** 점 $(a,\ b)$는 R의 원소이다.
>
> **(나)** 두 함수 $f(x)=x^3+ax^2+bx+1$과 $g(x)=x^5-bx^3+ax+1$이 모두 실수 전체의 집합에서 역함수를 갖는다.

- 함수 $h(x)$가 어떤 구간에서 미분가능하고 이 구간의 모든 x에서 $h'(x)>0$이면 $h(x)$는 이 구간에서 증가한다.

- 두 함수 $u(x)$, $v(x)$가 닫힌구간 $[c,\ d]$에서 연속일 때, 두 곡선 $y=u(x)$, $y=v(x)$ 및 두 직선 $x=c$, $x=d$로 둘러싸인 도형의 넓이는 $\displaystyle\int_c^d |u(x)-v(x)|dx$이다.

- 이차방정식 $\ell x^2+mx+n=0$의 두 근을 α, β라 하면 $\alpha+\beta=-\dfrac{m}{\ell}$, $\alpha\beta=\dfrac{n}{\ell}$이다.

- 점 $(x_1,\ y_1)$과 직선 $px+qy+r=0$사이의 거리는 $\dfrac{|px_1+qy_1+r|}{\sqrt{p^2+q^2}}$이다.

영역 R의 넓이를 구하시오. [10점]

$f(x)$는 최고차계수가 양수이므로 역함수를 가지려면, $f'(x)=3x^2+2ax+b\geq 0$이 모든 실수 x에 대하여 성립하여야 한다. 따라서 $D/4=a^2-3b\leq 0$이고, 영역 R_1을 $R_1=\{(a,\ b)|a^2-3b\leq 0\}$이라 하자.

마찬가지로 $g(x)$가 역함수를 가지려면, $g'(x)=5x^4-3bx^2+a\geq 0$이 모든 실수 x에 대하여 성립하여야 한다. $t=x^2$으로 치환하면, $t\geq 0$인 임의의 실수 t가 $5t^2-3bt+a\geq 0$을 만족하는 것으로 조건을 변경할 수 있다. 이차함수 $h(t)=5t^2-3bt+a$의 대칭축의 위치에 따라 다음의 두 경우를 생각하자.

   i. $b\leq 0$일 때, $h(0)=a\geq 0$이다. $R_2=\{(a,\ b)|a\geq 0,\ b\leq 0\}$이라 하자.

   ii. $b>0$일 때, $D=9b^2-20a\leq 0$이다. $R_3=\{(a,\ b)|9b^2-20a\leq 0\}$이라 하자.

이때, 영역 R은 $R=R_1\cap(R_2\cup R_3)$로 주어지며 그 넓이는

$$\int_0^{\sqrt[3]{20}}\left(\frac{\sqrt{20}}{3}\sqrt{a}-\frac{a^2}{3}\right)da=\left[\frac{\sqrt{20}}{3}\cdot\frac{2}{3}a^{\frac{3}{2}}-\frac{a^3}{9}\right]_0^{\sqrt[3]{20}}=\frac{20}{9}$$

이다.

[문제 3-2] $t>\dfrac{1}{2}$인 임의의 실수 t에 대하여 점 $(t,\ -3t^2+4t-1)$에서 포물선 $y=x^2$에 그은 두 접선과 이 포물선이 둘러싸는 영역의 넓이를 $A(t)$라 할 때, $18<A(t)<486$을 만족하는 t의 범위를 구하시오. [15점]

접점을 $(p,\ p^2)$으로 놓으면, 접선의 방정식은 $y=2px-p^2$이다. 접선이 점

$Q(t, -3t^2 + 4t - 1)$를 지나므로 $-3t^2 + 4t - 1 = 2pt - p^2$이고 이를 정리하면 $p^2 - 2tp - 3t^2 + 4t - 1 = 0$이다. 이 이차방정식의 두 근을 $\alpha, \beta(\alpha > \beta)$라 하면 $\alpha + \beta = 2t$, $\alpha\beta = -3t^2 + 4t - 1$이므로

$$\alpha - \beta = \sqrt{(\alpha+\beta)^2 - 4\alpha\beta} = \sqrt{4t^2 - (-3t^2 + 4t - 1)} = 4t - 2$$

이다. 두 점 $A(\alpha, \alpha^2)$와 $B(\beta, \beta^2)$사이의 거리는

$$\overline{AB} = (\alpha - \beta)\sqrt{1 + (\alpha + \beta)^2}$$

이다. 직선 AB의 방정식은 $(\alpha + \beta)x - y - \alpha\beta = 0$이므로

점 $Q(t, -3t^2 + 4t - 1) = Q\left(\dfrac{\alpha+\beta}{2}, \alpha\beta\right)$와의 거리 d는

$$d = \frac{(\alpha - \beta)^2}{2\sqrt{(\alpha+\beta)^2 + 1}},$$
$$\triangle QAB = \frac{1}{2} \cdot \overline{AB} \cdot d = \frac{(\alpha - \beta)^3}{4}$$

이고, 직선 AB와 곡선 $y = x^2$사이의 넓이는

$$\int_\beta^\alpha ((\alpha + \beta)x - \alpha\beta - x^2)dx = \frac{(\alpha - \beta)^3}{6}$$

이므로

$$A(t) = \frac{(\alpha - \beta)^3}{4} - \frac{(\alpha - \beta)^3}{6} = \frac{(\alpha - \beta)^3}{12} = \frac{2(2t - 1)^3}{3}$$

이다. $18 < \dfrac{2(2t-1)^3}{3} < 486$을 풀어 $2 < t < 5$를 얻는다

[별해]

접점을 (p, p^2)으로 놓으면, 접선의 방정식은 $y = 2px - p^2$이다. 점 $Q(t, -3t^2 + 4t - 1)$를 접선이 지 나므로 $-3t^2 + 4t - 1 = 2pt - p^2$이고 이를 정리하면 $p^2 - 2tp - 3t^2 + 4t - 1 = 0$이

다. 이 이차방정식 을 풀어 두 근 $p = 1 - t$와 $p = 3t - 1$을 얻을 수 있고 $t > \dfrac{1}{2}$이므로

$1 - t < t < 3t - 1$임을 안다. 구간 $[1 - t, t]$에서 접선의 방정식은 $y = 2(1-t)x - (1-t)^2$이

고 구간 $[t, 3t - 1]$에서 접선의 방정식은 $y = 2(3t-1)x - (3t-1)^2$이다. 따라서

$$\begin{aligned} A(t) &= \int_{1-t}^{3t-1} x^2 dx - \int_{1-t}^{t} 2(1-t)x - (1-t)^2 dx - \int_t^{3t-1} 2(3t-1)x - (3t-1)^2 dx \\ &= \frac{1}{3}((3t-1)^3 - (1-t)^3) \\ &\quad - (1-t)(t^2 - (1-t)^2) + (1-t)^2 t - (1-t)^3 \\ &\quad - (3t-1)((3t-1)^2 - t^2) + (3t-1)^3 - (3t-1)^2 t \\ &= \frac{2}{3}(2t-1)^3 \end{aligned}$$

이다. $18 < \dfrac{2(2t-1)^3}{3} < 486$을 풀어 $2 < t < 5$를 얻는다.

11. 2021학년도 중앙대 수시 논술 (자연 Ⅰ)

[문제 1] K 회사는 다음 그림의 (가)와 같이 4개의 부품 p, q, r, s 가 전선으로 연결된 전기 시스템 설계를 (나)와 같이 전선이 중앙에 추가된 설계로 교체할 것을 고려하고 있다. 각 부품은 독립적으로 동작하고, 각 부품이 작동 및 오작동할 확률은 각각 $\frac{1}{2}$이다. 전류는 A에서 B로 흐르며, 각 부품은 작동할 때만 전류가 흐른다. 시스템 (가)에서 (나)로 설계를 교체할 때 추가되는 비용은 50만 원이며, 시스템에서 전류가 흐를 확률이 1% 증가함에 따르는 수익은 10만 원이라고 한다. K 회사가 시스템 설계를 (가)에서 (나)로 교체할 때, 이익의 증가액(단위: 만 원)의 기댓값을 구하시오. [20점]

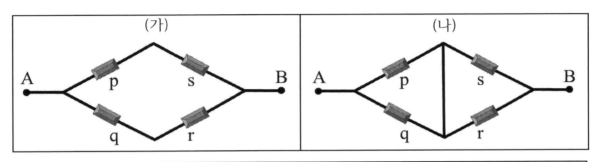

시스템의 각 부품이 작동하는 사건을 p, q, r, s로 나타낸다고 하자. 시스템 (가)와 (나)에서 전류가 흐를 확률 x, y는, 각각

$$
\begin{aligned}
x &= P\{(p \cap s) \cup (q \cap r)\} \\
&= P\{(p \cap s)\} + P\{(q \cap r)\} - P\{p \cap q \cap r \cap s\} \\
&= P\{p\}P\{s\} + P\{q\}P\{r\} - P\{p\}P\{q\}P\{r\}P\{s\} \\
&= \frac{1}{4} + \frac{1}{4} - \frac{1}{16} = \frac{7}{16}
\end{aligned}
$$

$$
\begin{aligned}
y &= P\{(p \cup q) \cap (r \cup s)\} \\
&= P\{p \cup q\} \times P\{r \cup s\} \\
&= [P\{p\} + P\{q\} - P\{p \cap q\}] \times [P\{r\} + P\{s\} - P\{r \cap s\}] \\
&= [P\{p\} + P\{q\} - P\{p\}P\{q\}] \times [P\{r\} + P\{s\} - P\{r\}P\{s\}] \\
&= \frac{3}{4} \times \frac{3}{4} = \frac{9}{16}
\end{aligned}
$$

따라서, 시스템 설계를 (가)에서 (나)로 교체할 때의 이익의 증가액은

$$
\left(10 \times \frac{y-x}{x} \times 100\%\right) - 50 = \left\{10 \times \left(\frac{2}{7} \times 100\%\right)\right\} - 50 = \frac{1650}{7} \approx 235.71 (\text{만원}).
$$

※ 문제에서의, '1% 증가'를 '1%p 증가'로 해석한 경우, 이익의 증가액은 다음과 같다. 이 경우도 정답으로 간주한다.

$$
\{10 \times (y-x) \times 100\%\} - 50 = \left\{10 \times \left(\frac{2}{16} \times 100\%\right)\right\} - 50 = 125 - 50 = 75(\text{만원})
$$

※ 참고: 아래와 같이 모든 경우를 나열하여 확률 (x, y)및 확률의 증가값 $(y-x)$를 계산할 수 있다.

NO	1	2	3	4	5	6	7	8	9	10	11	12	13	14	15	16
p	○	○	○	○	○	○	○	○	×	×	×	×	×	×	×	×
q	○	○	○	○	×	×	×	×	○	○	○	○	×	×	×	×
r	○	○	×	×	○	○	×	×	○	○	×	×	○	○	×	×
s	○	×	○	×	○	×	○	×	○	×	○	×	○	×	○	×
시스템(가)	●	●	●	-	●	-	●	-	●	●	-	-	-	-	-	-
시스템(나)	●	●	●	-	●	●	●	-	●	●	●	-	-	-	-	-
확률	$\frac{1}{16}$	$\frac{1}{16}$	$\frac{1}{16}$	$\frac{1}{16}$	$\frac{1}{16}$	$\frac{1}{16}$	$\frac{1}{16}$	$\frac{1}{16}$	$\frac{1}{16}$	$\frac{1}{16}$	$\frac{1}{16}$	$\frac{1}{16}$	$\frac{1}{16}$	$\frac{1}{16}$	$\frac{1}{16}$	$\frac{1}{16}$

[문제 2] 다음을 읽고 문제에 답하시오.

- 함수 $f(x)$가 닫힌구간 $[a, b]$에서 연속이고 $f(x) \geq 0$이면, 정적분 $\int_a^b f(x)dx$는 곡선 $y = f(x)$, 직선 $x = a$, 직선 $x = b$와 x축으로 둘러싸인 도형의 넓이를 나타낸다.
- 각 θ_1과 θ_2에 대하여 $\sin(\theta_1 + \theta_2) = \sin\theta_1\cos\theta_2 + \cos\theta_1\sin\theta_2$가 성립한다.
- 함수 $f(x)$가 $x = a$에서 미분가능하고 극값을 가지면 $f'(a) = 0$이다.

[문제 2-1] 원점을 지나는 두 직선 l_1과 l_2는 $y = x$에 대하여 대칭이고 제 1사분면에서 각 θ를 이루고 있다. 제 1사분면에서 직선 l_1과 l_2와 곡선 $y = \frac{1}{x}$을 경계로 하는 영역의 넓이를 $f(\theta)$라고 할 때, $f'(\theta) = 2$를 만족하는 θ를 구하시오. [10점]

직선 l_1과 x축이 이루는 각을 α라고 하자. (이때, $\alpha = \frac{\pi}{4} - \frac{\theta}{2}$이다.) $y = (\tan\alpha)x$와 곡선 $y = \frac{1}{x}$이 만나는 점 $\left(\frac{1}{\sqrt{\tan\alpha}}, \sqrt{\tan\alpha} \right)$을 구한 후, 그림을 그려 $y = x$ 아래의 넓이

$$\frac{1}{2} + \int_1^{1/\sqrt{\tan\alpha}} \frac{1}{x}dx - \frac{1}{2}\frac{1}{\sqrt{\tan\alpha}}\sqrt{\tan\alpha} = -\frac{1}{2}\ln(\tan\alpha)$$

를 구한다. 따라서 영역의 전체 넓이는

$$f(\theta) = -\ln(\tan\alpha) = -\ln\left(\tan\left(\frac{\pi}{4} - \frac{\theta}{2} \right) \right)$$

이다. 합성함수의 미분법을 이용하여 f의 도함수

$$f'(\theta) = -\frac{1}{\tan\left(\frac{\pi}{4} - \frac{\theta}{2} \right)} \sec^2\left(\frac{\pi}{4} - \frac{\theta}{2} \right)\left(-\frac{1}{2} \right)$$

$$= \frac{1}{2\sin\left(\frac{\pi}{4} - \frac{\theta}{2} \right)\cos\left(\frac{\pi}{4} - \frac{\theta}{2} \right)} = \frac{1}{\sin\left(\frac{\pi}{2} - \theta \right)} = \frac{1}{\cos\theta}$$

계산하여 정답 $\theta = \frac{\pi}{3}$를 얻는다.

[문제 2-2] 닫힌구간 $\left[0,\ \pi^2+2\pi\right]$에서 다음과 같이 정의된 함수 $f(x)$가 최댓값을 갖게 하는 x를 구하시오. [15점]

$$f(x)=\frac{\sqrt{x+1}+1}{x+2(\sqrt{x+1}+1)\cos(\sqrt{x+1}-1)}$$

$t=\sqrt{x+1}-1$로 **치환하자. 이때 주어진 함수의 항 중** $\sqrt{x+1}+1$**는 유리화하여**

$$\sqrt{x+1}+1=\frac{x}{\sqrt{x+1}-1}=\frac{x}{t}$$

를 대입한다. 그 결과는

$$f(x)=\frac{\sqrt{x+1}+1}{x+2(\sqrt{x+1}+1)\cos(\sqrt{x+1}-1)}=\frac{1}{t+2\cos t}$$

이다. 따라서 $g(t)=t+2\cos t$**(단,** $0\le t\le \pi$**)가 최솟값을 갖는** t**를 찾으면 된다.**

함수 $g(t)$**를 미분을 하여 도함수** $g'(t)=1-2\sin t$**를 구하고 주어진 구간 내에서 도함수가** 0**이 되는** $t=\dfrac{\pi}{6},\ \dfrac{5\pi}{6}$**를 찾는다. 그리고 사인함수의 개형을 이용하여 함수** $g(t)$**가 구간** $\left(0,\ \dfrac{\pi}{6}\right)$**에서 증가, 구간** $\left(\dfrac{\pi}{6},\ \dfrac{5\pi}{6}\right)$**에서 감소, 구간** $\left(\dfrac{5\pi}{6},\ \pi\right)$**에서 증가한다는 사실을 확인한다. 따라서** $g(t)$**의 최댓값을 찾기 위해서는 주어진 구간의 왼쪽 경계** $t=0$**에서의 값과** $t=\dfrac{5\pi}{6}$**에서의 값만 조사하면 된다.**

실제 $g(0)=1$**이고** $g\left(\dfrac{5\pi}{6}\right)=\dfrac{5\pi}{6}-\dfrac{\sqrt{3}}{2}$**인데 이 두 값을 비교하여** $g(t)$**의 최솟값은** $t=\dfrac{5\pi}{6}$ **일 때 얻을 수 있음을 확인한다. (여기서** $\dfrac{5\pi}{12}-\dfrac{\sqrt{3}}{2}$**이** 1**보다 작다는 것을 파악하기 위해서 가장 간단하게는** $\pi\le 3.5,\ \sqrt{3}\ge 1.5$**인 것만 이용해도 충분히 확인할 수 있다.) 따라서 정답은** $x=(t+1)^2-1=\left(\dfrac{5\pi}{6}+1\right)^2-1$**이다.**

[문제 3] 다음을 읽고 문제에 답하시오.

- 미분가능한 두 함수 $f(x)$, $g(x)$에 대하여 다음이 성립한다.
$$\int f(x)g'(x)dx=f(x)g(x)-\int f'(x)g(x)dx$$

- 두 함수 $y=f(u)$, $u=g(x)$가 각각 u, x에 대하여 미분가능하면, 합성함수 $y=f(g(x))$도 x에 대하여 미분가능하고, 그 도함수는 $\dfrac{dy}{dx}=\dfrac{dy}{du}\dfrac{du}{dx}$이다.

- x의 함수 y가 음함수 $f(x,\ y)=0$의 꼴로 주어졌을 때, y를 x의 함수로 보고 각 항을 x에 대하여 미분한 후 $\dfrac{dy}{dx}$를 구한다.

[문제 3-1] 함수 $F(x) = \int_0^x \sin^2 t\, dt$ 에 대하여, 다음 정적분의 값을 구하시오. (단, 각 θ에 대하여 $\sin^2\theta = \dfrac{1-\cos 2\theta}{2}$ 가 성립한다.) [10점]

$$\int_0^\pi (2x - \sin(2x)) e^{F(x)} \sin^2 x\, dx$$

문제에 주어진 식 $\sin^2 x\, dx = \dfrac{1 - \cos 2x}{2}$ 과 부분적분을 이용하면 적분을 다음과 같이 정리할 수 있다.

$$\left[(2x - \sin 2x)e^{F(x)}\right]_0^\pi - \int_0^\pi (2 - 2\cos 2x)e^{F(x)}dx$$
$$= 2\pi e^{F(\pi)} - \int_0^\pi e^{F(x)} 4\sin^2 x\, dx$$
$$= 2\pi e^{F(\pi)} - \left[4e^{F(x)}\right]_0^\pi = 2\pi e^{F(\pi)} - 4e^{F(\pi)} + 4$$

$F(\pi) = \int_0^\pi \sin^2 x\, dx = \left[\dfrac{1}{2}x - \dfrac{1}{4}\sin 2x\right]_0^\pi = \dfrac{\pi}{2}$ 를 대입하여 정답 $(2\pi - 4)e^{\frac{\pi}{2}} + 4$을 얻는다.

[문제 3-2] 좌표평면 위를 움직이는 점 P의 시각 t에서의 좌표는 $(\cos t, \sin t)$이다. 여기서 t의 범위는 $0 \le t \le \dfrac{\pi}{4}$이다. 제 1사분면에 속한 점 Q는 곡선 $y = (x+1)(x-1)^2$ 위에 있고, 점 P와 거리를 $2\sqrt{2}$로 유지하며 연속적으로 움직인다. 점 Q가 $(2, 3)$을 지날 때, 점 Q의 속도 $\left(\dfrac{dx}{dt}, \dfrac{dy}{dt}\right)$를 구하시오. [15점]

$(x - \cos t)^2 + (y - \sin t)^2 = 8$이다. t에 대하여 음함수, 합성함수 미분하면

$$x\dfrac{dx}{dt} - \dfrac{dx}{dt}\cos t + x\sin t + y\dfrac{dy}{dx}\dfrac{dx}{dt} - \dfrac{dy}{dx}\dfrac{dx}{dt}\sin t - y\cos t = 0 \qquad \textbf{(1)}$$

을 얻는다. $\dfrac{dy}{dx} = (x-1)^2 + 2(x-1)(x+1) = 3x^2 - 2x - 1$이고, $x = 2$일 때 $\dfrac{dy}{dx} = 7$이다.

Q$= (2, 3)$에 대응되는 P를 구하기 위하여

$$(\cos t - 2)^2 + (\sin t - 3)^2 = 8$$

을 풀면 $2\cos t + 3\sin t = 3$이고 제곱하여 $4\cos^2 t = 9(1 - \sin t)^2$의 근을 구하면 $\sin t = \dfrac{5}{13}$, 1이다. $0 \le t \le \dfrac{\pi}{4}$이므로 대응되는 P는 $\left(\dfrac{12}{13}, \dfrac{5}{13}\right)$이다. 식 **(1)**에 대입하면 $\dfrac{dx}{dt} = \dfrac{13}{126}$, $\dfrac{dy}{dt} = \dfrac{dy}{dx}\dfrac{dx}{dt} = \dfrac{91}{126}$이다.

12. 2021학년도 중앙대 수시 논술 (자연 Ⅱ)

[문제 1] 좌표평면 위의 점 P는 동전을 한 번 던져서 앞면이 나오면 오른쪽 대각선 방향의 위(↗)로 한 칸만큼, 뒷면이 나오면 오른쪽 대각선 방향의 아래(↘)로 한 칸만큼 이동한다. 동전을 반복적으로 던지는 실험의 결과, 아래의 그림과 같이 원점 O에서 출발한 점 P가 점 Q(12, 8)에 도착했다고 할 때, 원점을 출발한 이후 점 P가 x축에 닿지 않았을 확률을 구하시오. [20점]

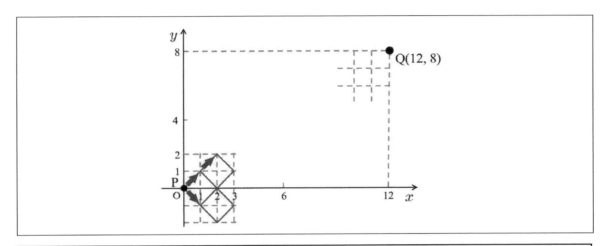

P→Q로 진행되는 모든 경로는 동일한 확률 $\left(=(1/2)^{12}\right)$을 가지므로, P가 x축에 닿지 않았을 확률 p는 다음과 같이 구할 수 있다.

$$p = \frac{\text{P→Q의 경로 중에서 } x \text{축에 닿지 않는 경우의 수}}{\text{P→Q의 경우의 수}} \left(= \frac{m}{n}\right)$$

(1) n의 값

Q점에 도착하기 위한 동전의 앞면 (H)이 나온 횟수를 a, 뒷면(T)의 횟수를 b라고 하면, 다음과 같은 관계식을 유도할 수 있다.

$$a+b=12, \quad a-b=8$$

따라서, $a=10$, $b=2$이다. 즉, 10개의 H와 2개의 T를 일렬로 배열하는 경우의 수이다.

$$n = {}_{12}C_{10} = {}_{12}C_2 = \frac{12 \times 11}{2} = 66$$

(2) m의 값

x축에 닿지 않는 경로는 다음의 2가지 경우로 나눠 생각할 수 있다.

 (i) P가 $(0, 0) \to (1, 1) \to (2, 2) \to (3, 3)$로 진행한 경우 (참고: 그림1)

 이 경우는, 7개의 H와 2개의 T를 일렬로 배열하는 경우의 수이다.

$$m_1 = {}_9C_7 = {}_9C_2 = \frac{9 \times 8}{2} = 36$$

 (ii) P가 $(0, 0) \to (1, 1) \to (2, 2) \to (3, 1) \to (4, 2)$로 진행한 경우 (참고: 그림2)

 이 경우는, 7개의 H와 1개의 T를 일렬로 배열하는 경우의 수이다.

$$m_2 = {}_8C_7 = {}_8C_1 = 8$$

(3) 확률 p의 계산

따라서, $m = m_1 + m_2 = 44$**이므로,** $p = \dfrac{44}{66} = \dfrac{2}{3}$

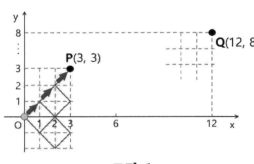

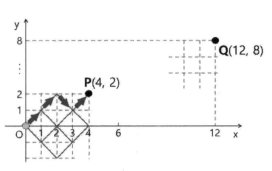

<그림 1>   <그림 2>

※ m의 계산을 위하여, 다음과 같이 여사건을 이용할 수도 있다. 즉, x축에 닿고 Q점에 도달하는 경우는 다음과 같은 세 가지 경우이다.

(i) P가 $(0, 0) \to (1, -1)$로 진행한 경우: $m_1^* = {}_{11}C_1 = 11$

(ii) P가 $(0, 0) \to (1, 1) \to (2, 0)$으로 진행한 경우: $m_2^* = {}_{10}C_1 = 10$

(iii) P가 $(0, 0) \to (1, 1) \to (2, 2) \to (3, 1) \to (4, 0)$으로 진행한 경우: $m_3^* = {}_{8}C_0 = 1$

따라서, 위의 세가지 경우의 합(여사건의 경우의 수, m^*)을 이용하여,
$$m = n - m^* = n - \left(m_1^* + m_2^* + m_3^* \right) = 66 - (11 + 10 + 1) = 66 - 22 = 44.$$

[문제 2] 다음을 읽고 문제에 답하시오.

- 실수 a, b에 대하여 $(a+b)^4 = a^4 + 4a^3b + 6a^2b^2 + 4ab^3 + b^4$이 성립한다.

- 수열 $\{a_n\}$, $\{b_n\}$이 수렴하고 $\lim\limits_{n \to \infty} a_n = \alpha$, $\lim\limits_{n \to \infty} b_n = \beta$일 때, 다음 식이 성립한다.

$$\lim_{n \to \infty} a_n b_n = \left(\lim_{n \to \infty} a_n \right)\left(\lim_{n \to \infty} b_n \right) = \alpha\beta, \quad \lim_{n \to \infty} \frac{a_n}{b_n} = \frac{\lim\limits_{n \to \infty} a_n}{\lim\limits_{n \to \infty} b_n} = \frac{\alpha}{\beta} \quad (\text{단, } \beta \neq 0)$$

- 닫힌구간 $[a, b]$에서 연속인 함수 $f(x)$의 한 부정적분을 $F(x)$라 할 때, 다음 식이 성립한다.

$$\int_a^b f(x)dx = F(b) - F(a)$$

- 미분가능한 함수 $g(t)$에 대하여 $x = g(t)$로 놓으면, 다음 식이 성립한다.
$$\int f(x)dx = \int f(g(t))g'(t)dt$$

[문제 2-1] 다음 극한값을 구하시오. [10점]
$$\lim_{n \to \infty} \frac{(\sqrt{n}+1)^4 + (\sqrt{n}+2)^4 + (\sqrt{n}+3)^4 + (\sqrt{n}+4)^4 + \cdots + (\sqrt{n}+n)^4}{(n+1)^4 + (n+2)^4 + (n+3)^4 + (n+4)^4 + \cdots + (2n)^4}$$

우선 문제에 주어진 식을 다음과 같이 정리한다.

$$\lim_{n \to \infty} \frac{\displaystyle\sum_{k=1}^{n}(k+\sqrt{n})^4}{\displaystyle\sum_{k=1}^{n}(n+k)^4} = \frac{\displaystyle\lim_{n \to \infty}\frac{1}{n^5}\sum_{k=1}^{n}(k+\sqrt{n})^4}{\displaystyle\lim_{n \to \infty}\frac{1}{n^5}\sum_{k=1}^{n}(n+k)^4}$$

분모는 정적분과 급수의 합과의 관계를 이용하여

$$\lim_{n \to \infty}\frac{1}{n^5}\sum_{k=1}^{n}(n+k)^4 = \lim_{n \to \infty}\frac{1}{n}\sum_{k=1}^{n}\left(1+\frac{k}{n}\right)^4 = \int_0^1 (1+x)^4 dx = \frac{31}{5}$$

를 얻는다. 분자는 다음과 같이 식을 정리한 후

$$\sum_{k=1}^{n}(k+\sqrt{n})^4 = \sum_{k=1}^{n}k^4 + 4\sqrt{n}\sum_{k=1}^{n}k^3 + 6n\sum_{k=1}^{n}k^2 + 4n\sqrt{n}\sum_{k=1}^{n}k + n^2$$

거듭제곱의 합공식을 적용한다.

$$\sum_{k=1}^{n}(k+\sqrt{n})^4 = \sum_{k=1}^{n}k^4 + 4\sqrt{n}\left(\frac{n(n+1)}{2}\right)^2 + 6n\frac{n(n+1)(2n+1)}{6} + 4n\sqrt{n}\frac{n(n+1)}{2} + n^2$$

그리고 정적분과 급수의 합과의 관계를 이용하여 극한을 취한다.

$$\lim_{n \to \infty}\frac{1}{n^5}\sum_{k=1}^{n}(k+\sqrt{n})^4 = \lim_{n \to \infty}\frac{1}{n}\sum_{k=1}^{n}\left(\frac{k}{n}\right)^4 + 0 = \int_0^1 x^4 dx = \frac{1}{5}$$

마지막으로 분자의 극한을 분모의 극한으로 나누어 정답 $\frac{1}{31}$ 을 얻는다.

[별해]

위 예시답안에서 분자의 극한을 취할 때, 식을 다음과 같이 정리한 후,

$$\frac{1}{n^5}\sum_{k=1}^{n}(k+\sqrt{n})^4 = \frac{1}{n}\sum_{k=1}^{n}\left(\frac{k}{n}\right)^4 + \frac{4}{\sqrt{n}}\frac{1}{n}\sum_{k=1}^{n}\left(\frac{k}{n}\right)^3$$
$$+ \frac{6}{n}\frac{1}{n}\sum_{k=1}^{n}\left(\frac{k}{n}\right)^2 + \frac{4}{n\sqrt{n}}\frac{1}{n}\sum_{k=1}^{n}\left(\frac{k}{n}\right) + \frac{1}{n^2}$$

정적분과 급수의 합과의 관계를 이용하여

$$\lim_{n \to \infty}\frac{1}{n^5}\sum_{k=1}^{n}(k+\sqrt{n})^4 = \int_0^1 x^4 dx + 0 \cdot \int_0^1 x^3 dx + 0 \cdot \int_0^1 x^2 dx + 0 \cdot \int_0^1 x dx + 0$$
$$= \frac{1}{5}$$

를 얻을 수도 있다. 나머지 과정은 동일하다.

[문제 2-2] 닫힌구간 $[0, 20]$에서 정의된 함수 $f(x)$가 다음 식을 만족한다.

$$f(20-x) = \sqrt{-x^2 + 20x - 2(f(x))^2}$$

이때, 정적분 $\displaystyle\int_0^{10} x f(x) dx$의 값을 구하시오. [15점]

주어진 식을 제곱하여

$$2f(x)^2 + f(20-x)^2 = -x^2 + 20x$$

를 얻는다. 위 식의 양변에 2를 곱하여

$$4f(x)^2 + 2f(20-x)^2 = -2x^2 + 40x$$

를 얻는다. 그리고 첫 번째 식에 x대신 $20-x$를 대입하여

$$2f(20-x)^2 + f(x)^2 = -(20-x)^2 + 20(20-x) = -x^2 + 20x$$

를 얻는다. 위의 식에서 아래의 식을 빼면

$$3f(x)^2 = -x^2 + 20x = 100 - (x-10)^2$$

를 얻을 수 있는데, 따라서

$$f(x) = \frac{1}{\sqrt{3}}\sqrt{100 - (x-10)^2}$$

이다. 적분에 이 식을 대입한 후 $u = \dfrac{x-10}{10}$으로 치환하여 적분을 계산한다.

$$\int_0^{10} xf(x)dx = \frac{1}{\sqrt{3}}\int_0^{10} x\sqrt{100-(x-10)^2}\,dx = \frac{1000}{\sqrt{3}}\int_{-1}^0 (u+1)\sqrt{1-u^2}\,du$$

$$= \frac{1000}{\sqrt{3}}\left(\int_{-1}^0 \sqrt{1-u^2}\,du + \int_{-1}^0 u\sqrt{1-u^2}\,du\right) = \frac{1000}{\sqrt{3}}\left(\frac{\pi}{4} - \frac{1}{3}\right)$$

[문제 3] 다음을 읽고 문제에 답하시오.

- 좌표평면 위를 움직이는 점 P의 시각 t에서의 위치 $(x,\ y)$가 $x = f(t)$, $y = g(t)$일 때, 속력은 $\sqrt{(f'(t))^2 + (g'(t))^2}$ 이다.

- 직선 $y = mx + n$이 x축의 양의 방향과 이루는 각의 크기를 θ라고 하면 $\tan\theta = m$ 이다.

- 각 α와 β에 대하여 다음 식이 성립한다.

$$\tan(\alpha+\beta) = \frac{\tan\alpha + \tan\beta}{1 - \tan\alpha\tan\beta} \qquad (\text{단},\ \alpha \neq \frac{\pi}{2},\ \beta \neq \frac{\pi}{2},\ \tan\alpha\tan\beta \neq 1)$$

[문제 3-1] 좌표평면 위를 움직이는 점 P의 시각 t에서의 위치 $(x,\ y)$가

$$x = t, \qquad y = \frac{2}{3}(t^2 - 2t + 2)^{\frac{3}{2}}$$

이다. 점 P의 속력이 최소가 되는 시각을 t_0이라 할 때, 시각 $t = 0$에서 시각 $t = t_0$까지 점 P가 움직인 거리를 구하시오. [10점]

우선 점 P의 속력은 정의로부터 다음과 같다.

$$|v| = \sqrt{1 + 4(t^2 - 2t + 2)(t-1)^2}$$

루트 내부의 식을 완전 제곱식으로 정리를 하면,

$$|v| = \sqrt{1 + 4((t-1)^2 + 1)(t-1)^2} = \sqrt{4(t-1)^4 + 4(t-1)^2 + 1}$$

$$= \sqrt{(2(t-1)^2 + 1)^2} = 2(t-1)^2 + 1$$

174

이다. 따라서 속력이 최소인 시각 t_0은 1이다. 마지막으로 위에서 얻은 속력에 대한 식을 적분하여 점 P의 이동거리를 구한다.

$$\int_0^1 2(t-1)^2 + 1\, dt = \left(\frac{2}{3}(1-1)^3 + 1\right) - \left(\frac{2}{3}(0-1)^3 + 0\right) = \frac{5}{3}$$

[문제 3-2] 좌표평면 위에 원점 O가 중심이고 반지름의 길이가 1인 원 위의 점 $A(\cos\theta, \sin\theta)$가 있다. 그리고 원점을 지나며 x축의 양의 방향과 이루는 각의 크기가 2θ인 직선과 곡선 $x^2 + \dfrac{y^2}{4} = 1$의 교점을 B라 하고, 삼각형 AOB의 넓이의 최댓값을 M이라 하자. 삼각형 AOB의 넓이를 $\tan\theta$로만 표현된 함수로 나타내고, 이를 이용하여 M^2을 구하시오. (단, $0 \le \theta \le \dfrac{\pi}{2}$) [15점]

교점 $B(x_0, y_0)$는 $x^2 + \dfrac{y^2}{4} = 1$와 $y = (\tan 2\theta)x \left(\theta \ne \dfrac{\pi}{4}\right)$의 교점이다. 연립해서 풀면

$x_0^2 = \dfrac{4}{4 + \tan^2(2\theta)}$ 이다. $B(x_0, y_0)$와 $y = (\tan\theta)x\left(\theta \ne \dfrac{\pi}{2}\right)$와의 거리는

$$\frac{\left|x_0 \tan\theta - y_0\right|}{\sqrt{1 + \tan^2\theta}} = \frac{\left|x_0 \tan\theta - x_0 \tan(2\theta)\right|}{\sqrt{1 + \tan^2\theta}}$$

이다. 삼각형 AOB의 넓이는

$$\frac{1}{2}\frac{|\tan\theta - \tan(2\theta)|}{\sqrt{1 + \tan^2\theta}}|x| = \frac{|\tan\theta - \tan(2\theta)|}{\sqrt{1 + \tan^2\theta}}\frac{1}{\sqrt{4 + \tan^2(2\theta)}}$$

이고

$\tan 2\theta = \dfrac{2\tan\theta}{1 - \tan^2\theta}$ 을 이용하여 정리하면 $\dfrac{1}{2}\dfrac{\tan\theta\sqrt{1 + \tan^2\theta}}{\sqrt{(1 - \tan^2\theta)^2 + \tan^2\theta}}$ 이다. 이 공식에 $\theta = \dfrac{\pi}{4}$

을 대입하면 $\dfrac{\sqrt{2}}{2}$ 값을 갖고 이것은 직접 구한 삼각형의 넓이와 같다. 삼각형 AOB의 넓이를 나타내는 함수 $f(\theta)$는 아래와 같다.

$$f(\theta) = \begin{cases} \dfrac{1}{2}\dfrac{\tan\theta\sqrt{1 + \tan^2\theta}}{\sqrt{(1 - \tan^2\theta)^2 + \tan^2\theta}} & \left(\theta \ne \dfrac{\pi}{2}\right) \\ \dfrac{1}{2} & \left(\theta = \dfrac{\pi}{2}\right) \end{cases}$$

f^2의 최댓값을 구하면 된다. $s = \tan^2\theta\,(s \ge 0)$로 쓰면

$$f^2 = \frac{s(1 + s)}{4\{(1 - s)^2 + s\}} = \frac{s^2 + s}{4(s^2 - s + 1)}$$

이고 미분하면

$$\frac{-2s^2 + 2s + 1}{4(s^2 - s + 1)^2}$$

이다. 따라서 $s = \dfrac{1+\sqrt{3}}{2}$ 에서 최댓값을 갖고 $M^2 = \dfrac{1}{4} + \dfrac{\sqrt{3}}{6} = \dfrac{3+2\sqrt{3}}{12}$ 이다.

[별해]

삼각형의 넓이를 구하는 다른 방법이다. $B(x_0, \, y_0)$에서 $x_0^2 = \dfrac{4}{4+\tan^2(2\theta)}$ 이고

$y_0^2 = \dfrac{4\tan^2(2\theta)}{4+\tan^2(2\theta)}$ 이므로 선분 OB의 길이는 $\dfrac{2\sqrt{1+\tan^2(2\theta)}}{\sqrt{4+\tan^2(2\theta)}}$ 이다. 따라서 삼각형 AOB

의 넓이는 $\dfrac{1}{2} \cdot \dfrac{2\sqrt{1+\tan^2(2\theta)}}{\sqrt{4+\tan^2(2\theta)}}\sin\theta$이다.

$\sin\theta = \dfrac{\tan\theta}{\sqrt{\tan^2\theta+1}}$ 와 $\tan(2\theta) = \dfrac{2\tan\theta}{1-\tan^2\theta}$ 을 이용하여 정리하면 삼각형 AOB의 넓이는

$\dfrac{\tan\theta\sqrt{1+\tan^2\theta}}{2\sqrt{(1-\tan^2\theta)^2+\tan^2\theta}}$ 이다. 이 후 과정은 예시답안과 같다.

13. 2021학년도 중앙대 수시 논술 (자연 Ⅲ)

[문제 1] 주사위를 네 번 던지는 실험을 할 때, 처음으로 6의 눈이 나올 때까지 던졌던 횟수를 확률변수 X로 정의한다. 만약 네 번 던지는 동안 6의 눈이 나오지 않는 경우는, $X=5$로 정의한다. 예를 들어, 주사위의 눈이 순서대로 4, 1, 6, 2로 나오면 $X=3$이 된다. 주사위를 두 번째 던졌을 때 처음으로 5의 눈이 나왔다고 하자. 이때 X의 기댓값을 구하시오. [20점]

주사위를 두 번째 던졌을 때 처음으로 5의 눈이었을 때, X의 확률분포는 아래와 같다.					
확률변수 X	1	3	4	5	계
확률	$\dfrac{1}{5}$	$\left(\dfrac{4}{5}\right)\left(\dfrac{1}{6}\right)$	$\left(\dfrac{4}{5}\right)\left(\dfrac{5}{6}\right)\left(\dfrac{1}{6}\right)$	$\left(\dfrac{4}{5}\right)\left(\dfrac{5}{6}\right)\left(\dfrac{5}{6}\right)$	1
보조계산1	$\dfrac{1}{5}$	$\dfrac{4}{30}=\dfrac{2}{15}$	$\dfrac{20}{180}=\dfrac{1}{9}$	$\dfrac{100}{180}=\dfrac{5}{9}$	1
보조계산2	$\dfrac{36}{180}$	$\dfrac{24}{180}$	$\dfrac{20}{180}$	$\dfrac{100}{180}$	1

따라서 X의 기댓값 $= 1\left(\dfrac{1}{5}\right) + 3\left(\dfrac{2}{15}\right) + 4\left(\dfrac{1}{9}\right) + 5\left(\dfrac{5}{9}\right)$

$= \dfrac{1}{5} + \dfrac{2}{5} + \dfrac{4}{9} + \dfrac{25}{9}$

$= \dfrac{9+18+20+125}{45} = \dfrac{172}{45}$

[문제 2] 다음을 읽고 문제에 답하시오.

- 함수 $f(x)$가 $x=c$에서 미분가능할 때, 곡선 $y=f(x)$위의 점 $(c, f(c))$에서의 접선의 방정식은 $y-f(c)=f'(c)(x-c)$이다.
- 직선 $y=mx+n$이 x축의 양의 방향과 이루는 각의 크기를 θ라고 하면 $\tan\theta=m$이다.
- 각 α와 β에 대하여 다음 식이 성립한다.
$$\sin(\alpha+\beta)=\sin\alpha\cos\beta+\cos\alpha\sin\beta$$
$$\tan(\alpha-\beta)=\frac{\tan\alpha-\tan\beta}{1+\tan\alpha\tan\beta}$$
- 함수 $f(x)$가 $x=a$에서 미분가능하고 극값을 가지면 $f'(a)=0$이다.

[문제 2-1] 좌표평면 위의 원 $(x-1)^2+y^2=1$과 원 $x^2+y^2=t^2$의 교점 중 $y\geq 0$인 점을 $\mathrm{P}(t)$라고 하자. 점 $\mathrm{P}(t)$에서 두 원의 접선이 이루는 각을 $\theta(t)$라고 할 때, 정적분 $\int_{\sqrt{2}}^{2}\{\tan\theta(t)\}^2 dt$의 값을 구하시오. (단, $\sqrt{2}\leq t\leq 2$이고 $0\leq\theta(t)\leq\frac{\pi}{2}$이다.) [10점]

$1=(x-1)^2+y^2=x^2-2x+1+y^2$를 전개한 후, $x^2+y^2=t^2$를 대입하여 교점 $\mathrm{P}\left(\frac{t^2}{2}, \frac{t}{2}\sqrt{4-t^2}\right)$를 구한다. $t=2$일 때는 두 원의 접선이 일치하므로 $\tan\theta(t)=0$이다.

$\sqrt{2}\leq t<2$이라고 하고, 원의 방정식 $x^2+y^2=t^2$에 음함수 미분을 적용하여 점 P에서의 접선의 기울기

$$2x+2y\frac{dy}{dx}=0\Rightarrow m_1=-\frac{x}{y}=-\frac{t}{\sqrt{4-t^2}}$$

를 구한다. 마찬가지로 원의 방정식 $(x-1)^2+y^2=1$에 음함수 미분을 적용하여 접선의 기울기

$$2(x-1)+2y\frac{dy}{dx}=0\Rightarrow m_2=-\frac{x-1}{y}=-\frac{t^2-2}{t\sqrt{4-t^2}}$$

를 구한다. 따라서 탄젠트 함수의 덧셈정리에 의해 두 접선이 이루는 각 $\theta(t)$는

$$\tan\theta(t)=\frac{m_2-m_1}{1+m_2 m_1}=\frac{\sqrt{4-t^2}}{t}$$

로 주어진다. (보충설명: 위 식은 $t=2$일 때도 성립하므로 $t=2$도 포함한다. 실제 그림을 그려보면 $\tan(\theta(2))=0$이다. 또한, 여기서 조건 $\sqrt{2}\leq t\leq 2$에 의해 $\tan(\theta(t))$가 0과 1사이이므로 $\theta(t)$는 예각임을 확인할 수 있다)

마지막으로 위에서 얻은 식을 대입하여 적분을 계산하여 정답을 얻는다.

$$\int_{\sqrt{2}}^{2}\tan^2\theta(t)dt=\int_{\sqrt{2}}^{2}\frac{4-t^2}{t^2}dt=\left[-\frac{4}{t}-t\right]_{\sqrt{2}}^{2}=3\sqrt{2}-4$$

[문제 2-2] 반지름의 길이가 1인 원에 내접하는 이등변 삼각형 ABC가 있다. $\overline{BC}=x$이고 $\overline{AB}=\overline{AC}=y$라 할 때, $x^3 e^{-2y}$의 최댓값을 구하시오. [15점]

각 BAC를 α, 각 ABC를 β라 하자. 사인법칙을 이용하면 $\sin\alpha = \dfrac{x}{2}$, $\sin\beta = \dfrac{y}{2}$임을 알 수 있다. 그런데 여기서 삼각형 ABC가 이등변 삼각형이므로 $\alpha + 2\beta = \pi$를 만족하므로 $\sin(2\beta) = \dfrac{x}{2}$인데, 이 식에 사인함수의 덧셈공식을 적용하면

$$x = 2\sin(2\beta) = 4\sin\beta\cos\beta = 2y\sqrt{1 - \frac{y^2}{4}} = y\sqrt{4 - y^2}$$

(또는 $y^4 - 4y^2 + x^2 = 0$)임을 알 수 있다. 따라서

$$x^3 e^{-2y} = y^3 (4 - y^2)^{\frac{3}{2}} e^{-2y}$$

이다. 위 식을 y에 대한 함수로 보고 미분을 하면,

$$2y^2\sqrt{4 - y^2}\, e^{-2y}(y - 1)(y^2 - 2y - 6)$$

가 된다. y의 범위가 $0 \le y \le 2$이므로 구간 내에서 도함수가 0인 경우는 $y = 1$일 때 이다. (구간 내에서 $y^2 - 2y - 6$은 0이 아니다.)

경계 $y = 0$, $y = 2$일 때 $y^3(4 - y^2)^{\frac{3}{2}} e^{-2y}$의 값을 체크해서 $y = 1$일 때 최댓값 $3\sqrt{3}e^{-2}$을 얻는다는 결론을 내린다.

[별해 1]

각 BAC를 θ로 두는 경우, 문제의 조건과 삼각함수의 성질로부터 $1 \cdot \cos\left(\dfrac{\theta}{2}\right) = \dfrac{y}{2}$와 $y \cdot \cos\left(\dfrac{\pi - \theta}{2}\right) = \dfrac{x}{2}$를 얻고, $y = 2\cos\left(\dfrac{\theta}{2}\right)$와 $x = 2y\sin\left(\dfrac{\theta}{2}\right) = 4\sin\left(\dfrac{\theta}{2}\right)\cos\left(\dfrac{\theta}{2}\right)$로 정리한 후 $x^3 e^{-2y}$에 대입한다. 이렇게 얻은 함수를 θ에 대한 함수로 보고 $f(\theta)$라 하자.

$$f(\theta) = x^3 e^{-2y} = 64\sin^3\left(\frac{\theta}{2}\right)\cos^3\left(\frac{\theta}{2}\right)e^{-4\cos\left(\frac{\theta}{2}\right)}$$

$f(\theta)$의 최댓값을 찾기 위해 도함수

$$f'(\theta) = 32\sin^2\left(\frac{\theta}{2}\right)\cos^2\left(\frac{\theta}{2}\right)e^{-4\cos\left(\frac{\theta}{2}\right)}\left\{3\cos^2\left(\frac{\theta}{2}\right) - 3\sin^2\left(\frac{\theta}{2}\right) + 4\sin^2\left(\frac{\theta}{2}\right)\cos\left(\frac{\theta}{2}\right)\right\}$$

를 구한 다음, 방정식

$$3\cos^2\left(\frac{\theta}{2}\right) - 3\sin^2\left(\frac{\theta}{2}\right) + 4\sin^2\left(\frac{\theta}{2}\right)\cos\left(\frac{\theta}{2}\right) = 0$$

을 풀어서 θ에 대한 도함수가 0인 $\theta = \dfrac{2\pi}{3}$를 구한다. θ의 범위의 경계값 $\theta = 0$, π에서 $f(0) = f(\pi) = 0$이고 $f\left(\dfrac{2\pi}{3}\right) = 3\sqrt{3}e^{-2}$이므로 최댓값은 $3\sqrt{3}e^{-2}$이다.

[별해 2]

각 ABC 또는 각 ACB를 θ로 두는 경우, 문제의 조건과 삼각함수의 성질로부터 $y = 2\sin\theta$와 $x = 2y\cos\theta = 4\sin\theta\cos\theta$를 얻고 $x^3 e^{-2y}$에 대입하여 함수

$$f(\theta) = x^3 e^{-2y} = 64(\sin^3\theta)(\cos^3\theta)e^{-4\sin\theta}$$

를 얻는다. 별해 1과 마찬가지로 도함수

$$f'(\theta) = -64(\sin^2\theta)(\cos^2\theta)e^{-4\cos\theta}\{-3\cos^2\theta + 3\sin^2\theta + 4\sin\theta\cos^2\theta\}$$

를 구한 다음, 방정식

$$-3\cos^2\theta + 3\sin^2\theta + 4\sin\theta cos^2\theta = 0$$

을 풀어서 θ에 대한 도함수가 0인 $\theta = \dfrac{\pi}{6}$를 구한다. θ의 범위의 경계값 $\theta = 0,\ \pi$에서 $f(0) = f\left(\dfrac{\pi}{2}\right) = 0$이고 $f\left(\dfrac{\pi}{6}\right) = 3\sqrt{3}e^{-2}$이므로 최댓값은 $3\sqrt{3}e^{-2}$이다.

[문제 3] 다음을 읽고 문제에 답하시오.

- 함수 $f(x)$가 구간 $[a, b]$에서 연속이고 $f(x) \geq 0$이면, 정적분 $\displaystyle\int_a^b f(x)dx$는 곡선 $y = f(x)$, 직선 $x = a$, 직선 $x = b$와 x축으로 둘러싸인 도형의 넓이를 나타낸다.

- 미분가능한 함수 $g(t)$에 대하여 $x = g(t)$로 놓으면, 다음 식이 성립한다.

$$\int f(x)dx = \int f(g(t))g'(t)dt$$

- 수열 $\{a_k\}$, $\{b_k\}$와 상수 c에 대하여, 다음 식이 성립한다.

$$\sum_{k=0}^{n}(ca_k + b_k) = c\sum_{k=0}^{n}a_k + \sum_{k=0}^{n}b_k$$

[문제 3-1] 두 곡선 $y = x^4$과 $y = \dfrac{2}{1+x^2}$로 둘러싸인 도형의 넓이를 구하시오. [10점]

교점을 구하자. $x^4(1+x^2) = 2$이고 $x^2 = t$로 쓰면 $t^2(1+t) = 2$이 되고 $t = 1$이다. 주어진 영역의 넓이는 아래와 같다.

$$\int_{-1}^{1}\left\{\frac{2}{1+x^2} - x^4\right\}dx = 2\int_{0}^{1}\left\{\frac{2}{1+x^2} - x^4\right\}dx$$

$\displaystyle\int_0^1 \dfrac{2}{1+x^2}dx = \dfrac{\pi}{2}$**이고** $\displaystyle\int_0^1 x^4 dx = \dfrac{1}{5}$**이므로 정답은** $\pi - \dfrac{2}{5}$**이다.**

[문제 3-2] $a_0 = 3$이고 자연수 k에 대하여 $a_k = 3-k$인 수열이 있다. 음이 아닌 정수 n에 대하여 $b_n = \displaystyle\sum_{k=0}^{n}a_{n-k}a_k$라 할 때, b_n의 최솟값을 구하시오. [15점]

$$b_n = \frac{1}{6}(n^3 - 18n^2 + 35n + 54) = \frac{1}{6}(n+1)(n^2 - 19n + 54)$$

이다. 삼차함수 $f(x) = \dfrac{1}{6}(x+1)(x^2 - 19x + 54)$의 그래프의 개형을 고려해 보자. 근이 $x = -1,\ \dfrac{19-\sqrt{145}}{2} \approx 3.5,\ \dfrac{19+\sqrt{145}}{2} \approx 15.5$이므로 $n = 4, 5, \cdots, 15$일 때 b_n이 음수가 나온다. 그래프의 개형을 고려해서 $n = 9, 10, 11, 12$인 경우만 조사해 보면 된다.

최솟값의 위치를 찾는 다른 방법으로 $f(x)=\dfrac{1}{6}(x+1)(x^2-19x+54)$를 미분하면 $f'(x)=0$의 근이 $6-\dfrac{\sqrt{219}}{3}$, $6+\dfrac{\sqrt{219}}{3}$이고 $10<6+\dfrac{\sqrt{219}}{3}<11$이므로 $n=10$, 11만 체크해도 된다. $b_{10}=-66$이고 $b_{11}=-68$이므로 최솟값은 -68이다.

14. 2021학년도 중앙대 모의 논술

[문제 1] 다음을 읽고 문제에 답하시오.

보물섬에 다녀온 철수가 세관으로부터 특수그룹으로 분류되었을 때, 철수가 실제로 보물을 가지고 돌아왔을 확률을 구하시오. [20점]

- 보물섬에 가는 사람들은 $\dfrac{1}{9}$의 확률로 보물을 발견하여 보물을 가지고 돌아오고, $\dfrac{8}{9}$의 확률로 보물을 발견하지 못하고 그냥 돌아온다.

- 보물섬에 다녀온 사람들이 세관의 검색대를 통과하면, 검색대가 0과 4사이의 x값을 출력한다. (단, x는 실수)

- 보물을 가진 사람들을 검색대에서 측정한 값의 분포는 확률밀도함수 $g(x)$를 따르고, 보물을 가지고 있지 않은 사람들을 측정한 값의 분포는 확률밀도함수 $f(x)$를 따른다.

- 세관에서는 이 검색대에서 측정한 값이 2보다 크거나 같은 사람들을 특수그룹으로 분류하여, 잠재적인 보물 소유 그룹으로 판단한다.

- 확률밀도함수 $f(x)$와 $g(x)$는 아래의 그래프와 같다.

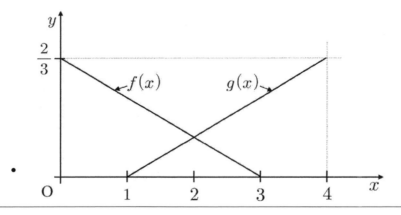

보물을 가지고 있을 사건을 B라고 표기하고, 특수그룹으로 분류되는 사건을 G라고 표기하면, 구하고자 하는 확률은 특수그룹으로 분류되었을 때 실제로 보물을 가지고 있을 확률인 $P(B|G)$가 된다. 이는 $P(G|B)$, $P(G|B^C)$, $P(B)$등을 계산한 후, 해당 확률들로부터 유도될 수 있다.

보물을 갖고 있는 사람이 특수그룹으로 분류될 확률 $P(G|B)$: 확률변수 X가 보물을 갖고 있는 사람이 검색대를 통과했을 때, 검색대로부터 측정한 값이라고 할 때, $P(G|B)$는 해당

확률변수의 확률밀도함수인 $g(x)$의 그래프로부터 $P(2 \leq X \leq 4)$로 계산될 수 있다. 이 확률은 아래 그래프에서 하늘색 사다리꼴의 넓이가 되기 때문에, $1 - 1 \times \dfrac{2}{9} \times \dfrac{1}{2} = \dfrac{8}{9}$로 계산된다. 이는 $g(x) = \dfrac{2}{9}x - \dfrac{2}{9}$, $1 \leq x \leq 4$이고, $g(2) = \dfrac{2}{9}$로부터 계산할 수 있다.

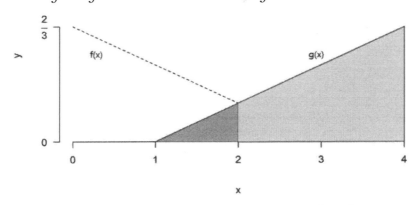

 보물을 갖고 있지 않은 사람이 특수그룹으로 분류될 확률 $P(G|B^C)$: 확률변수 Y가 보물을 갖고 있지 않은 사람이 검색대를 통과했을 때, 검색대가 측정한 값이라고 할 때, $P(G|B^C)$는 해당 확률변수의 확률밀도함수인 $f(x)$의 그래프로부터 $P(2 \leq Y \leq 4)$로 계산될 수 있다. 이 확률은 아래 그래프에서 회색 삼각형의 넓이가 되기 때문에, $1 \times \dfrac{2}{9} \times \dfrac{1}{2} = \dfrac{1}{9}$로 계산된다.

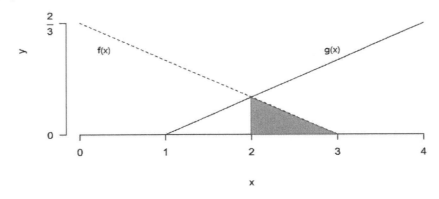

임의의 사람이 특수그룹에 속하게 될 확률인 $P(G)$는
$$P(G) = P(G \cap B) + P(G \cap B^C) = P(G|B)P(B) + P(G|B^C)P(B^C)$$
로 구할 수 있고, 이는
$$\frac{8}{9} \times \frac{1}{9} + \frac{1}{9} \times \frac{8}{9} = \frac{16}{81}$$
이 된다.
　　따라서 특수그룹에 속한 사람이 실제로 보물을 갖고 있을 확률은 다음과 같다.
$$P(B|G) = \frac{P(G \cap B)}{P(G)} = \frac{P(G|B)P(B)}{P(G)} = \frac{8/81}{16/81} = \frac{1}{2}$$

[문제 2] 다음 제시문 (가) – (라)를 읽고 문제에 답하시오.

(가) 미분가능한 함수 $f(x)$에 대하여
$$\int \frac{f'(x)}{f(x)}dx = \ln|f(x)| + C(단, \ C는 적분상수)$$

(나) 함수 $f(x)$가 a, b를 포함하는 열린구간에서 연속이고, $f(x)$의 한 부정적분이 $F(x)$일 때
$$\int_a^b f(x)dx = F(b) - F(a)$$

(다) 모든 실수 θ에 대하여 $\sin^2\theta + \cos^2\theta = 1$

(라) 함수 $f(x)$가 $x=a$에서 미분가능할 때, 곡선 $y=f(x)$위의 점 $P(a, f(a))$에서의 접선의 방정식은
$$y - f(a) = f'(a)(x-a)$$

[문제 2-1] 다음 적분을 계산하시오. [10점]
$$\int_{-1}^1 \frac{1+2e^{-x}}{1+e^x+e^{-x}}dx$$

적분함수를 $\dfrac{1+2e^{-x}}{1+e^x+e^{-x}} = 1 - \dfrac{e^x-e^{-x}}{1+e^x+e^{-x}}$로 분해한 후, 제시문 (가)를 이용하여 적분하여 $x - \ln(1+e^x+e^{-x}) + C$를 얻는다. 제시문 (나)를 이용하여 정적분을 계산하여 정답 2를 얻는다.

[별해 1]

적분을 $\dfrac{1+2e^{-x}}{1+e^x+e^{-x}} = 1 - \dfrac{e^x-e^{-x}}{1+e^x+e^{-x}}$로 분해한 후, 두 번째 함수가 좌함수임을 이용하여 $\int_{-1}^1 \dfrac{e^x-e^{-x}}{1+e^x+e^{-x}}dx = 0$을 얻는다. 1을 적분하여 정답 2를 얻는다.

[별해 2]

$u = e^{-x}$로 치환하여 $\int_{e^{-1}}^e \dfrac{2u+1}{u^2+u+1}du$를 얻고, 다시 $v = u^2+u+1$로 치환하여,
$$\int_{e^{-2}+e^{-1}+1}^{e^2+e+1} \frac{1}{v}dv = \ln\left(\frac{e^2+e+1}{e^{-2}+e^{-1}+1}\right) = \ln(e^2) = 2$$
를 구한다.

[별해 3]

$u = e^x$로 치환하여 $\int_{e^{-1}}^e \dfrac{u+2}{u(u^2+u+1)}du$를 얻는다. 적분함수를 $\dfrac{2}{u} - \dfrac{2u+1}{u^2+u+1}$로 분해 한 후 적분하여,
$$(2\ln u - \ln(u^2+u+1))\big|_{e^{-1}}^e = 2$$
를 구한다.

[문제 2-2] 닫힌구간 $[0, 1]$에서 정의된 함수 $f(x)$가 다음 식을 만족한다.

$$2f(\cos x) + f(\sin x) = 3\sin x \cos x$$

곡선 $y = f(x)$에 접하고 기울기가 -1인 접선의 방정식을 구하시오. [15점]

> 주어진 식에 x대신 $\left(\dfrac{\pi}{2} - x\right)$를 대입하여 $f(\cos x) + 2f(\sin x) = 3\sin x \cos x$를 얻는다.
>
> $A = f(\cos x)$, $B = f(\sin x)$로 두고 A와 B에 대한 연립방정식을 풀어,
>
> $A = f(\cos x) = \sin x \cos x$를 얻는다. 구간 $[0, 1]$에서 $\sin x = \sqrt{1 - \cos^2 x}$이므로 $t = \cos x$로
>
> 두면, $f(t) = t\sqrt{1 - t^2}$, 즉 $f(x) = x\sqrt{1 - x^2}$이다. 미분을 하여 식 $f'(x) = \dfrac{1 - 2x^2}{\sqrt{1 - x^2}} = -1$를
>
> 풀어 접선의 접점의 좌표 $\left(\dfrac{\sqrt{3}}{2}, \dfrac{\sqrt{3}}{4}\right)$를 구하고, 접선의 방정식 $y = -x + \dfrac{3\sqrt{3}}{4}$ 을 얻는다.

[문제 3] 다음 제시문 (가) – (라)를 읽고 문제에 답하시오.

> (가) 점 (x_1, y_1)과 직선 $ax + by + c = 0$사이의 거리는 $\dfrac{|ax_1 + by_1 + c|}{\sqrt{a^2 + b^2}}$이다.
>
> (나) 함수 $f(x)$가 어떤 열린구간에서 미분가능하고, 이 구간에 속하는 모든 x에 대하여 $f'(x) > 0$이면 $f(x)$는 이 구간에서 증가하고 $f'(x) < 0$이면 감소한다.
>
> (다) 함수 $g(x)$가 $x = p$에서 미분가능하고 $x = p$에서 극값을 가지면 $g'(p) = 0$이다.
>
> (라) 두 함수 $u(x)$, $v(x)$에 대하여 $\lim\limits_{x \to \infty} u(x) = \alpha$, $\lim\limits_{x \to \infty} v(x) = \beta$ (α, β는 실수)일 때, 다음의 식이 성립한다.
>
> - $\lim\limits_{x \to \infty} \{u(x) \pm v(x)\} = \alpha \pm \beta$
> - $\lim\limits_{x \to \infty} ku(x) = k\alpha$ (단, k는 상수)
> - $\lim\limits_{x \to \infty} u(x)v(x) = \alpha\beta$
> - $\lim\limits_{x \to \infty} \dfrac{u(x)}{v(x)} = \dfrac{\alpha}{\beta}$ (단, $\beta \neq 0$)

[문제 3-1] 직선 $x + 2y + 1 = 0$과 직선 $2x + y - 2 = 0$에 동시에 접하고 점 $(-2, 3)$을 통과하는 원은 두 개 있다. 이 두 원의 교점을 연결한 선분의 길이를 구하시오. [10점]

> 두 직선 $x + 2y + 1 = 0$, $2x + y - 2 = 0$으로부터 같은 거리에 있는 점 $P(x, y)$가 나타내는 도형은 이 두 직선의 각의 이등분선이다. 점 $P(x, y)$가 나타내는 도형의 방정식은
>
> $\dfrac{|x + 2y + 1|}{\sqrt{1^2 + 2^2}} = \dfrac{|2x + y - 2|}{\sqrt{2^2 + 1^2}}$에서 직선 $x - y - 3 = 0$ 또는 직선 $3x + 3y - 1 = 0$임을 알 수 있다. 따라서 문제에서 주어진 두 원의 중심은 모두 직선 $x - y - 3 = 0$ 위에 있거나 직선 $3x + 3y - 1 = 0$ 위에 있다. 한편, 두 직선 $x + 2y + 1 = 0$, $2x + y - 2 = 0$은 좌표평면을 네 개의 영역으로 분할하고, 점 $(-2, 3)$은 두 부등식 $x + 2y + 1 > 0$, $2x + y - 2 < 0$을 동시에 만족하는 영역에 속한다. 직선 $3x + 3y - 1 = 0$ 위의 한 점 $\left(\dfrac{1}{3}, 0\right)$이 이 두 부등식을 만족하므로 두 원의 중심은 모두 직선 $3x + 3y - 1 = 0$ 위에 있다. 점 $(-2, 3)$과 직선

$3x+3y-1=0$사이의 거리는 $\dfrac{|-6+9-1|}{\sqrt{3^2+3^2}}=\dfrac{\sqrt{2}}{3}$이고 두 원의 공통현의 길이의 반이다.

따라서 공통현의 길이는 $\dfrac{2\sqrt{2}}{3}$이다.

[문제 3-2] 원 $x^2+(y-t)^2=2\,(t \geq \sqrt{2})$는 그림과 같이 $\dfrac{|x|}{a}+\dfrac{y}{b}=1\,(a>0,\ b>t+\sqrt{2})$의 그래프와 두 점에서 접한다. a를 b와 t로 표현하시오. 이를 이용하여 $\dfrac{|x|}{a}+\dfrac{y}{b}=1$의 그래프와 x축으로 둘러싸인 삼각형의 넓이가 최소가 되도록 하는 b에 의해 결정되는 삼각형의 넓이를 $A(t)$라 할 때, 극한 $\displaystyle\lim_{t \to \infty}\dfrac{A(t)}{t}$의 값을 구하시오. [15점]

$x^2+(y-t)^2=2$이 직선 $\dfrac{x}{a}+\dfrac{y}{b}-1=0$에 접하므로 $\sqrt{2}=\dfrac{\left|\dfrac{t}{b}-1\right|}{\sqrt{\dfrac{1}{a^2}+\dfrac{1}{b^2}}}$에서 $a=\dfrac{\sqrt{2}\,b}{\sqrt{(b-t)^2-2}}$를 얻는다. 삼각형의 넓이는 $ab=\dfrac{\sqrt{2}\,b^2}{\sqrt{(b-t)^2-2}}$으로 b에 관한 함수 $f(b)$로 표현할 수 있다. $f'(b)=\dfrac{\sqrt{2}\,b(b^2-3tb+2t^2-4)}{\sqrt{((b-t)^2-2)^3}}$이고 $b>t+\sqrt{2}>0$이므로 $f'(b)=0$을 풀면 $b=\dfrac{3t+\sqrt{t^2+16}}{2}$이다. 삼각형의 넓이를 최소로 하는 $a,\ b$의 값을 각각 $a(t),\ b(t)$라 하면, $A(t)=a(t)b(t)$이고, $f(b)$의 증가와 감소를 조사하여 $b(t)=\dfrac{3t+\sqrt{t^2+16}}{2}$임을 알 수 있다. $\displaystyle\lim_{t\to\infty}\dfrac{b(t)}{t}=\dfrac{3t+\sqrt{t^2+16}}{2t}=2$이므로

$$\lim_{t\to\infty}a(t)=\lim_{t\to\infty}\dfrac{\sqrt{2}\,b(t)}{\sqrt{(b(t)-t)^2-2}}=\lim_{t\to\infty}\dfrac{\sqrt{2}\,\dfrac{b(t)}{t}}{\sqrt{\left(\dfrac{b(t)}{t}-1\right)^2-\dfrac{2}{t^2}}}=2\sqrt{2}$$

이어서

$$\lim_{t\to\infty}\dfrac{A(t)}{t}=\lim_{t\to\infty}\left(a(t)\cdot\dfrac{b(t)}{t}\right)=4\sqrt{2}$$

이다.

15. 2020학년도 중앙대 수시 논술 (자연 Ⅰ)

[문제 1] 다음과 같은 방식으로 주사위 두 개를 붙여서 새로운 주사위를 만든다.

일반적인 정육면체 모양의 주사위는 서로 마주보고 있는 면의 눈의 수의 합이 항상 7이고 다음 그림과 같이 면이 구성되어 있다.

위와 같은 모양의 주사위 두 개를 눈의 수가 6인 면끼리 붙여서 직육면체 모양의 주사위 하나를 만든다. 다음은 새롭게 만들 수 있는 주사위 중 한 가지 예시를 보여준다.

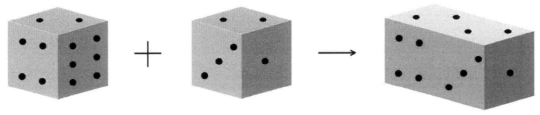

새로운 주사위 한 면의 눈의 수는 그 면에 있는 모든 눈의 수의 합과 같고, 각 면이 나올 확률은 면적에 비례한다고 가정한다.

위의 방식에 따라 새롭게 만들 수 있는 모든 종류의 주사위 중 하나를 임의로 선택하여 한 번 던져서 나오는 눈의 수가, 일반적인 정육면체 모양의 주사위를 한 번 던져서 나오는 눈의 수보다 작거나 같을 확률을 구하시오. [20점]

새롭게 만들 수 있는 직육면체 모양의 주사위는 다음과 같이 4가지 형태 중 하나를 가지게 된다.

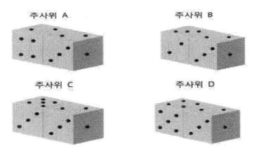

새로운 주사위에서 눈이 나오는 경우와 확률은 다음과 같다. (단, 표에서 (a,b)는 일반적인 주사위 두 개에서 나오는 각각의 눈의 수를 의미한다.)

주사위 A			주사위 B		
(a, b)	새로운 눈의수	확률	(a,b)	새로운 눈의 수	확률
(2,2)	4	1/5	(3,2)	5	1/5
(4,3)	7	1/5	(2,3)	5	1/5
(5,5)	10	1/5	(4,5)	9	1/5
(3,4)	7	1/5	(5,4)	9	1/5
1	1	1/10	1	1	1/10
1	1	1/10	1	1	1/10

주사위 C			주사위 D		
(a, b)	새로운 눈의수	확률	(a,b)	새로운 눈의 수	확률
(5,2)	7	1/5	(4,2)	6	1/5
(3,3)	6	1/5	(5,3)	8	1/5
(2,5)	7	1/5	(3,5)	8	1/5
(4,4)	8	1/5	(2,4)	6	1/5
1	1	1/10	1	1	1/10
1	1	1/10	1	1	1/10

새로운 주사위 중 하나를 한 번 던져서 나오는 눈의 수가 정육면체 모양의 일반적인 주사위를 한 번 던져서 나오는 눈의 수보다 작거나 같은 경우는 다음과 같다.

주사위 A	일반 주사위	확률	주사위 B	일반 주사위	확률
4	(4, 5, 6)	$\frac{1}{5} \times \frac{1}{2} = \frac{1}{10}$	5	(5, 6)	$\frac{2}{5} \times \frac{1}{3} = \frac{2}{15}$
1	모든 눈	$\frac{1}{5} \times 1 = \frac{1}{5}$	1	모든 눈	$\frac{1}{5} \times 1 = \frac{1}{5}$

주사위 C	일반 주사위	확률	주사위 D	일반 주사위	확률
6	6	$\frac{1}{5} \times \frac{1}{6} = \frac{1}{30}$	6	6	$\frac{2}{5} \times \frac{1}{6} = \frac{1}{15}$
1	모든 눈	$\frac{1}{5} \times 1 = \frac{1}{5}$	1	모든 눈	$\frac{1}{5} \times 1 = \frac{1}{5}$

위의 표를 바탕으로 주어진 확률을 계산하면 다음과 같다.

$$\frac{1}{4}\left(\frac{1}{10} + \frac{1}{5}\right) + \frac{1}{4}\left(\frac{2}{15} + \frac{1}{5}\right) + \frac{1}{4}\left(\frac{1}{30} + \frac{1}{5}\right) + \frac{1}{4}\left(\frac{1}{15} + \frac{1}{5}\right) = \frac{1}{4}\left(\frac{3}{10} + \frac{1}{3} + \frac{7}{30} + \frac{4}{15}\right) = \frac{17}{60}$$

또는 0.2833(소수점 아래 둘째 자리에서 반올림 가능)

[문제 2] 다음을 읽고 문제에 답하시오.

- $g(x) = t$로 놓을 때, $g(x)$가 미분 가능하면 $\int f(g(x))g'(x)dx = \int f(t)dt$이다.

- 두 함수 $f(x)$, $g(x)$에 대하여 $\lim\limits_{x \to a} f(x) = L$, $\lim\limits_{x \to a} g(x) = M(L, M$은 상수)일 때, 다음이 성립한다.

$$\lim_{x \to a} \frac{f(x)}{g(x)} = \frac{\lim\limits_{x \to a} f(x)}{\lim\limits_{x \to a} g(x)} = \frac{L}{M} \quad (M \neq 0)$$

[문제 2-1] $g(t) = e^{t^2}\left(t^2 + 3t + \frac{5}{2}\right)$에 대하여 함수 $f(x)$를 다음과 같이 정의하자.

$$f(x) = e^{-\int_1^x \frac{g'(t)}{g(t)}dt}$$

이때 함수 $h(x) = \int_1^x f(t)f'(t)\sqrt{\{f(t)\}^2 + 1}\,dt$의 최댓값을 구하시오. [10점]

$-\int_1^x \frac{g'(t)}{g(t)}dt = -\int_1^x (\ln g(t))'dt = \ln \frac{g(1)}{g(x)}$ 이므로 $f(x) = \frac{g(1)}{g(x)}$ 이다.

그리고 $h(x) = \int_1^x f(t)f'(t)\sqrt{f^2(t)+1}\,dt = \int_1^x \left(\frac{1}{3}\left(f^2(t)+1\right)^{\frac{3}{2}}\right)' dt$ 이므로

$h(x) = \frac{1}{3}\left(f^2(x)+1\right)^{\frac{3}{2}} - \frac{1}{3}\left(f^2(1)+1\right)^{\frac{3}{2}}$ 이고 h의 **최댓값은** f의 **최댓값에서 나온다. 그리고** $f(x)$의 **최댓값은** $g(x)$의 **최솟값에서 얻어진다. 미분하여 정리하면**

$$g'(x) = e^{x^2}(2x^3+6x^2+7x+3) = e^{x^2}(x+1)(2x^2+4x+3)$$

이므로 $g(-1)$에서 **최솟값을 갖는다. 따라서** $f(x)$의 **최댓값은** $\dfrac{g(1)}{g(-1)} = 13$이다.

h의 **최댓값은** $h(-1) = \frac{1}{3}\left(f^2(-1)+1\right)^{\frac{3}{2}} - \frac{1}{3}\left(f^2(1)+1\right)^{\frac{3}{2}} = \dfrac{170^{\frac{3}{2}} - 2^{\frac{3}{2}}}{3}$**이다.**

[문제 2-2] $\lim\limits_{x \to 1} \dfrac{x^3+x^2-a}{(a-x)(x+1-a)} = b$를 **만족하는 실수** a, b에 **대하여,** $a+b^2$의 **최댓값,**

최솟값을 구하시오. (단, $\dfrac{3}{2} \le a \le 3$**이다.) [15점]**

$a \ne 2$**이면** $x=1$에서 **분모가** 0**이 안되므로** $\dfrac{2-a}{(a-1)(2-a)} = \dfrac{1}{a-1} = b$**이다.**

$a=2$**이면** $\lim\limits_{x \to 1} \dfrac{(x-1)(x^2+2x+2)}{(2-x)(x-1)} = 5$**이고** $(a, b) = (2, 5)$**이다.**

$a+b^2 = k$**로 놓고** $b = \dfrac{1}{a-1}$ ($\dfrac{3}{2} \le a < 2,\ 2 < a \le 3$에서 **정의된다)와 접점을 구해보자.**

접점에서 만나고 미분계수가 같다는 것을 이용하면

$-\dfrac{1}{2b} = -b^2$**이므로** $b = 2^{-\frac{1}{3}}$**이다.** $\dfrac{1}{2} \le b < 1,\ 1 < b \le 2$**이므로** $b = 2^{-\frac{1}{3}}$**는 주어진 곡선의**

접점이다. 이때 $a = 1+2^{\frac{1}{3}}$**이므로** $1+2^{\frac{1}{3}}+2^{-\frac{2}{3}}$**이다. 곡선의 양 끝점** $\left(\dfrac{3}{2}, 2\right), \left(3, \dfrac{1}{2}\right)$에

서 각각 $a+b^2 = \dfrac{11}{2}, \dfrac{13}{4}$**이다.** $(a, b) = (2, 5)$에서 27**이다. 따라서 최솟값은**

$1+2^{\frac{1}{3}}+2^{-\frac{2}{3}}$**이고 최댓값은** 27**이다.**

[별해]

$a \ne 2$**이면** $x=1$에서 **분모가** 0**이 아니므로** $\dfrac{2-a}{(a-1)(2-a)} = \dfrac{1}{a-1} = b$**이다.**

$a=2$**이면** $\lim\limits_{x \to 1} \dfrac{(x-1)(x^2+2x+2)}{(2-x)(x-1)} = 5$**이고** $(a, b) = (2, 5)$**이다.**

$\dfrac{1}{2} \le b < 1,\ 1 < b \le 2$에서 $a = \dfrac{1}{b}+1$**이므로** $f(b) = b^2 + \dfrac{1}{b} + 1$**을 고려하자.**

$f'(b) = 2b - \dfrac{1}{b^2}$**이고** $b = 2^{-\frac{1}{3}}$에서 **극점을 갖고** $1+2^{\frac{1}{3}}+2^{-\frac{2}{3}}$**이다. 곡선의 양 끝점** $2, \dfrac{1}{2}$

에서 **각각** $\dfrac{11}{2}, \dfrac{13}{4}$**이다.** $(a, b) = (2, 5)$에서 27**이다.**

[문제 3] 다음을 읽고 문제에 답하시오.

- 구간 $[a, b]$에서 $f(x) \geq g(x)$일 때, 두 곡선 $y=f(x)$와 $y=g(x)$및 두 직선 $x=a$, $x=b$로 둘러싸인 도형의 넓이는 다음과 같다.
$$\int_a^b \{f(x)-g(x)\}dx$$

- 좌표공간에서 x, y, z에 대한 방정식 $ax+by+cz+d=0$은 벡터 $\vec{n}=(a, b, c)$에 수직인 평면을 나타낸다.

[문제 3-1] 어떤 양의 실수 a에 대하여, $x \geq 0$에서 정의된 두 곡선 $y=e^x$과 $y=a\sin x$가 오직 한 점에서 만난다. 이때 두 곡선 $y=e^x$과 $y=a\sin x$및 y축으로 둘러싸인 도형의 넓이를 구하시오. [10점]

함수 $y=e^x$의 그래프와 $y=a\sin x$의 그래프를 통해 보면, 함수 $y=e^x$의 그래프가 $y=a\sin x$의 그래프보다 항상 위에 있어야 하고 $y=e^x$가 증가함수이므로 두 곡선이 만나는 점의 x좌표 α가 $\frac{\pi}{2}$이하여야 함을 알 수 있다.

두 곡선이 한 점에서만 만나므로 그 점에서 함수 $f(x)=e^x-a\sin x$가
$$f(\alpha)=e^\alpha-a\sin\alpha=0, \quad f'(\alpha)=e^\alpha-a\cos\alpha=0$$
을 동시에 만족해야 한다. 따라서, 그 점에서 $\cos\alpha=\sin\alpha$이어야 하므로, α의 범위로부터 $\alpha=\frac{\pi}{4}$를 얻고, 이를 대입하여 $a=\sqrt{2}e^{\frac{\pi}{4}}$를 얻는다. 이때 주어진 영역의 넓이는 $\int_0^{\frac{\pi}{4}}\left(e^x-\sqrt{2}e^{\frac{\pi}{4}}\sin x\right)dx$이고, 이를 계산하면 $(2-\sqrt{2})e^{\frac{\pi}{4}}-1$을 얻는다.

[문제 3-2] 좌표공간에 구 $S:(x-1)^2+(y-1)^2+(z-1)^2=1$이 있고, x축 위의 점 P$(a, 0, 0)$, y축 위의 점 Q$(0, 2a, 0)$, z축 위의 점 R$(0, 0, b)$가 있다. 삼각형 PQR가 구 S와 접할 때, 좌표 공간의 원점과 P, Q, R를 꼭짓점으로 하는 삼각뿔의 부피가 최소가 되는 a의 값을 구하시오. (단, $a > 3$이고 $b > 0$이다.) [15점]

삼각형 PQR를 포함하는 평면의 방정식을 $\alpha x+\beta y+\gamma z=1$이라고 하면 구 S의 중심과의 거리가 1이므로 $\frac{|\alpha+\beta+\gamma-1|}{\sqrt{\alpha^2+\beta^2+\gamma^2}}=1$이고, 한편 점 $(a, 0, 0)$, $(0, 2a, 0)$, $(0, 0, b)$를 지나므로, $\alpha=\frac{1}{a}$, $\beta=\frac{1}{2a}$, $\gamma=\frac{1}{b}$이다. 따라서 $\frac{\left|\frac{3}{2a}+\gamma-1\right|}{\sqrt{\frac{5}{4a^2}+\gamma^2}}=1$을 얻고, 제곱하여 정리하면 $\gamma=\frac{a^2-3a+1}{a(2a-3)}$임을 알 수 있다. 따라서 평면의 방정식은 $\frac{x}{a}+\frac{y}{2a}+\frac{a^2-3a+1}{a(2a-3)}z=1$이다. 한편, 좌표공간의 원점과 P, Q, R를 꼭짓점으로 하는 삼각뿔의 부피 $V(a)$는 $\frac{1}{3}\left(\frac{a\times 2a}{2}\right)\times\frac{a(2a-3)}{a^2-3a+1}=\frac{a^3(2a-3)}{3(a^2-3a+1)}$이다. a에 대해 미분하면

188

$$V'(a) = \frac{a^2(a-1)(4a^2 - 17a + 9)}{3(a^2 - 3a + 1)^2}$$

이 되고, $V'(a) = 0$과 $a > 3$에서부터 $a = \dfrac{17}{8} + \dfrac{\sqrt{145}}{8}$에서 $V(a)$가 최소이다.

16. 2020학년도 중앙대 수시 논술 (자연 II)

[문제 1] 각기 다른 3개의 과제 A, B, C가 있다. 과제의 우선순위는 A가 B보다, B가 C보다 높아서 이를 고려하여 다음과 같은 방식으로 4명의 학생을 과제에 배정하려고 한다.

> 과제명 A가 쓰여 있는 공 2개와 과제명이 쓰여 있지 않은 공 4개가 들어 있는 주머니를 준비한다. 다음과 같은 규칙에 따라 학생들은 모두 차례대로 한 명씩 주머니에 있는 공을 한 개 뽑아서 과제에 배정된다.
> - 과제명이 쓰여 있는 공을 뽑으면 그 과제에 배정되며, 이때 주머니에서 과제명이 쓰여 있지 않은 공 하나를 꺼내 배정된 과제명을 적은 후, 뽑은 공과 함께 다시 주머니에 집어넣는다. 따라서 주머니에 있는 공의 수는 6개로 유지된다.
> - 과제명이 쓰여 있지 않은 공을 뽑았을 때 아직 학생이 배정되지 않은 과제가 있으면, 그 중에서 우선순위가 더 높은 과제에 배정되며, 이때 뽑은 공에 배정된 과제명을 적은 후 다시 주머니에 집어넣는다. 따라서 주머니에 있는 공의 수는 6개로 유지된다.
> - 과제명이 쓰여 있지 않은 공을 뽑았을 때 이미 모든 과제에 학생이 배정되어 있으면, 세 과제 중 하나에 임의로 배정된다.

위의 방식에 따라 4명의 학생이 과제에 배정될 때, 3개의 과제 A, B, C 모두에 학생이 배정될 확률을 구하시오. [20점]

> ▶첫 번째 학생은 뽑은 공에 상관없이 무조건 과제 A에 배정된다. 두 번째 학생은 1/2의 확률로 과제 A 또는 B에 배정되고 세 번째, 네 번째 학생은 앞의 학생의 배정 결과에 따라 각기 다른 확률로 과제에 배정된다 과제명이 쓰여 있지 않은 공을 뽑았을 때 아직 학생이 배정되지 않은 과제가 있으면 과제의 우선순위 A>B>C를 고려한다.
> ▶학생이 배정되는 경우는 다음과 같이 나타낼 수 있다.

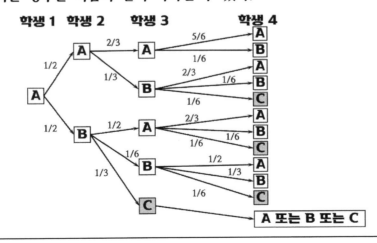

▶이때 3개의 과제 모두 학생이 배정되려면 과제 C에 최소한 1명이 배정되어야 한다. 이를 만족하는 경우의 수는 다음과 같다.

	학생 1	학생 2	학생 3	학생 4
Case 1	과제 A	과제 A	과제 B	과제 C
Case 2	과제 A	과제 B	과제 A	과제 C
Case 3	과제 A	과제 B	과제 B	과제 C
Case 4	과제 A	과제 B	과제 C	-

Case 4의 경우 학생 4가 공을 뽑기 전에 이미 모든 과제에 최소한 한명의 학생이 배정이 되었기 때문에 학생 4의 과제 배정 여부는 고려할 필요가 없다.

▶네 가지 경우가 발생할 확률은 다음과 같이 계산된다.

	학생 1	학생 2	학생 3	학생 4	확률
Case 1	과제 A	과제 A	과제 B	과제 C	$\frac{1}{2} \times \frac{1}{3} \times \frac{1}{6} = \frac{1}{36}$
Case 2	과제 A	과제 B	과제 A	과제 C	$\frac{1}{2} \times \frac{1}{2} \times \frac{1}{6} = \frac{1}{24}$
Case 3	과제 A	과제 B	과제 B	과제 C	$\frac{1}{2} \times \frac{1}{6} \times \frac{1}{6} = \frac{1}{72}$
Case 4	과제 A	과제 B	과제 C	-	$\frac{1}{2} \times \frac{1}{3} = \frac{1}{6}$

따라서 3개의 과제 모두에 학생이 배정될 확률은 다음과 같이 계산된다.

$$\frac{1}{36} + \frac{1}{24} + \frac{1}{72} + \frac{1}{6} = \frac{18}{72} = \frac{1}{4} = 0.25$$

[문제 2] 다음을 읽고 문제에 답하시오.

- x의 함수 y가 음함수 $f(x, y) = 0$의 꼴로 주어져 있을 때에는 y를 x의 함수로 보고 각 항을 x에 대하여 미분한 후에 $\frac{dy}{dx}$를 구한다.

- 미분가능한 두 함수 $f(x)$, $g(x)$에 대하여 다음이 성립한다.
$$\int f(x)g'(x)dx = f(x)g(x) - \int f'(x)g(x)dx$$

[문제 2-1] x에 대한 방정식 $4x^3 - 6(t+1)x^2 + 7t^2 + 1 = 0$이 세 실근 $f(t)$, $g(t)$, $h(t)$를 가진다. $\int_0^1 tg''(t)dt$를 구하시오. (단, $-\frac{1}{8} < t < \frac{9}{8}$이고 $f(t) < g(t) < h(t)$이다.) [10점]

그래프를 그려보면 $f(t) < 0 < g(t) < t+1 < h(t)$임을 알 수 있다. 부분 적분하여 아래 식을 구할 수 있다.

$$\int_0^1 tg''dt = \left[tg'\right]_0^1 - \int_0^1 g'dt = g'(1) - g(1) + g(0).$$

$t = 0$에서 $4x^3 - 6x^2 + 1 = (2x-1)(2x^2 - 2x - 1) = 0$이므로 $g(0) = \frac{1}{2}$이다.

$t = 1$에서 $4x^3 - 12x^2 + 8 = 4(x-1)(x^2 - 2x - 2) = 0$이므로 $g(1) = 1$이다.

$g'(1)$을 구하자. $g(t)$는 $4g^3(t)-6(t+1)g^2(t)+7t^2+1=0$을 만족한다. 식을 음함수 미분하고 $t=1$대입하면

$$6g^2(1)g'(1)-3g^2(1)-12g(1)g'(1)+7=0$$

을 얻고, $g'(1)=\dfrac{2}{3}$이다. 주어진 적분값은 $\displaystyle\int_0^1 tg''dt=\dfrac{2}{3}-1+\dfrac{1}{2}=\dfrac{1}{6}$이다.

[문제 2-2] 모든 자연수 k에 대하여 다음을 만족시키는 함수 $p(x)=ax^3+bx^2+cx+d$를 구하시오. (단, a, b, c, d는 실수이다.) [15점]

$$\int_0^\pi \left(k^2 p(x)+4\right)\sin kx\,dx=0$$

$$\int_0^\pi k^2 p(x)\sin kx\,dx=\left[-kp(x)\cos kx\right]_0^\pi+\int_0^\pi kp'(x)\cos kx\,dx$$

$$=k(-1)^{k+1}p(\pi)+kp(0)+\int_0^\pi kp'(x)\cos kx\,dx$$

$$\int_0^\pi kp'(x)\cos kx\,dx=\left[p'(x)\sin kx\right]_0^\pi-\int_0^\pi p''(x)\sin kx\,dx$$

$$=-\int_0^\pi \sin kx(6ax+2b)dx$$

이다. 또한 $\displaystyle\int_0^\pi \sin kx(6ax+2b)dx=\dfrac{(-1)^{k+1}}{k}(6a\pi+2b)+\dfrac{2b}{k}$이고

$$4\int_0^\pi \sin kx\,dx=\dfrac{4}{k}\left(1-(-1)^k\right)$$

이므로 정리하면

$$k(-1)^k p(\pi)-kp(0)+\dfrac{(-1)^{k+1}}{k}(6a\pi+2b)+\dfrac{2b}{k}+\dfrac{4}{k}\left((-1)^k-1\right)=0$$

이다.

k짝수일 때 $k^2\left(p(\pi)-p(0)\right)-6a\pi=0$이므로 $a=0$, $b\pi^2+c\pi=0$이 나온다.

k홀수일 때 $k^2\left(p(\pi)+p(0)\right)-(4b-8)=0$이므로 $b=2$, $b\pi^2+c\pi+2d=0$이고 위에서 구한 것과 같이 생각해보면 $a=0$, $b=2$, $c=-2\pi$, $d=0$이다. 따라서 $p(x)=2x^2-2\pi x$이다.

[문제 3] 다음을 읽고 문제에 답하시오.

- 수열 a_1, a_2, a_3, $\cdots a_n$, $\cdots$이 첫째항 a_1에서 시작하여 차례대로 일정한 수 d를 더하여 얻은 수열일 때, 이 수열을 등차수열이라고 하고, 그 일정한 수 d를 공차라고 한다.
- 평면 위의 두 점 F, F′으로부터의 거리의 합이 일정한 점들의 집합을 타원이라고 하며, 두 점 F, F′을 타원의 초점이라고 한다.

[문제 3-1] 등차수열 $\{a_n\}$, $\{b_n\}$이 다음 조건을 만족시킬 때, a_{254}의 값을 구하시오. (단, $\{a_n\}$의 공차는 양의 실수이다.) [10점]

(가) $a_{2n} - b_n = 3(n = 1,\ 2,\ 3,\ \cdots)$

(나) $b_1 = 756$

(다) $\displaystyle\sum_{n=1}^{11} a_{n^2} = \sum_{n=1}^{11} (b_n - a_n)^2$

$\{a_n\}$, $\{b_n\}$이 등차수열이므로 $a_n = cn + d$, $b_n = en + f$꼴이다. 조건 (가)에서 $2cn + d - 3 = en + f$가 모든 자연수 n에 대해 성립하므로 이는 항등식이고, 따라서 $2c = e$, $d - 3 = f$를 얻는다. 한편, 조건 (다)로부터 $\displaystyle\sum_{n=1}^{11}(cn^2 + d) = \sum_{n=1}^{11}(cn - 3)^2$을 얻고,

$$\sum_{k=1}^{n} k^2 = \frac{n(n+1)(2n+1)}{6},\quad \sum_{k=1}^{n} k = \frac{n(n+1)}{2}$$

를 이용하면 $506c^2 - 902c + 99 - 11d = 11(46c^2 - 82c + 9 - d) = 0$을 얻는다. 한편, 조건 (나)에서 $2c + d - 3 = 756$을 얻고, 이를 대입하면

$$46c^2 - 80c - 750 = 2(23c^2 - 40c - 375) = 0$$

을 얻는다. 인수분해 혹은 근의 공식을 쓰면, $c = -\dfrac{75}{23}$, 5을 얻고, $c > 0$이므로 $c = 5$이다. 따라서 $d = 759 - 2c = 749$이고, $a_{254} = 254c + d = 1270 + 749 = 2019$이다.

[문제 3-2] 점 P가 좌표평면의 원점에 있고 점 $Q(2t, 0)$가 x축 위에 있다. $\overline{PR} + \overline{RQ} = 20$이고, 각 PRQ가 $\dfrac{\pi}{3}$가 되는 제 1사분면 위의 점들 중 x좌표가 가장 큰 점을 $R(x(t), y(t))$라 하자. $t = 2\sqrt{7}$일 때, 점 R에서의 접선의 기울기를 구하시오. [15점]

점 R는 $\overline{PR} + \overline{RQ} = 20$을 만족하는 점이고 $P(0, 0)$, $Q(2t, 0)$이므로, R은 곡선

$$\frac{(x-t)^2}{10^2} + \frac{y^2}{10^2 - t^2} = 1$$

위의 점이다. 한편, 각 PRQ가 $\dfrac{\pi}{3}$라는 조건에서 $\tan\dfrac{\pi}{3} = \left|\dfrac{2ty}{x(x-2t)+y^2}\right|$을 얻고, 이를 정리하면 점 R는 곡선 $(x-t)^2 + \left(y - \dfrac{t}{\sqrt{3}}\right)^2 = \dfrac{4t^2}{3}$ 또는 $(x-t)^2 + \left(y + \dfrac{t}{\sqrt{3}}\right)^2 = \dfrac{4t^2}{3}$ 위의 점임을 알 수 있다. 이 두 관계를 연립하여 계산하는 과정에서 $y > 0$을 이용하면 가능한 좌표는 $\left(t \pm \dfrac{20}{\sqrt{3}}\dfrac{\sqrt{t^2 - 25}}{t},\ \dfrac{1}{\sqrt{3}}\left(\dfrac{100}{t} - t\right)\right)$ 또는 $\left(t \pm \dfrac{20}{\sqrt{3}}\dfrac{\sqrt{t^2 - 25}}{t},\ -\dfrac{1}{\sqrt{3}}\left(\dfrac{100}{t} - t\right)\right)$임을 알 수 있고, 조건에 의하여 R의 좌표는 $R\left(t + \dfrac{20}{\sqrt{3}}\dfrac{\sqrt{t^2 - 25}}{t},\ \dfrac{1}{\sqrt{3}}\left(\dfrac{100}{t} - t\right)\right)$임을 알 수 있다. 미분하면

$$x'(t) = 1 - \frac{20}{\sqrt{3}} \frac{\sqrt{t^2-25}}{t^2} + \frac{20}{\sqrt{3}} \frac{1}{\sqrt{(t^2-25)}},$$

$y'(t) = -\frac{1}{\sqrt{3}} - \frac{100}{\sqrt{3}} \frac{1}{t^2}$ 에서 $\frac{y'(t)}{x'(t)} = -\frac{(t^2+100)\sqrt{t^2-25}}{\sqrt{3}\,t^2\sqrt{t^2-25}+500}$ 이다. $t = 2\sqrt{7}$ 를 대입하면

$$\frac{y'(2\sqrt{7})}{x'(2\sqrt{7})} = \frac{\dfrac{-32}{7\sqrt{3}}}{\dfrac{146}{21}} = -\frac{16\sqrt{3}}{73} \text{ 이다.}$$

17. 2020학년도 중앙대 모의 논술

[문제 1] 영희는 두 단계로 구성된 게임에 다음과 같은 규칙에 따라 참여한다.
위의 규칙에 따라 영희가 게임에 참여할 때 얻을 수 있는 최종 점수의 기댓값을 구하시오. (단, 기댓값은 분수로 제시하거나 소수점 아래 둘째 자리에서 반올림하여 제시한다.) [20점]

▶ 동전의 앞면이 나오는 경우를 H, 뒷면이 나오는 경우를 T라고 하면 1단계에서 발생하는 사건의 확률은 다음과 같다.

둘 다 앞면이 나오는 경우: $P(HH) = \frac{1}{4}$

둘 다 뒷면이 나오는 경우: $P(TT) = \frac{1}{4}$

그렇지 않은 경우: $1 - P(HH) - P(TT) = \frac{1}{2}$

▶ 동전 네 개를 동시에 던져서 앞면과 뒷면의 개수가 같을 확률은 $_4C_2 \left(\frac{1}{2}\right)^4 = \frac{3}{8}$ 이고, 개수가 다를 확률은 $1 - \frac{3}{8} = \frac{5}{8}$ 이다.

▶ 1, 2단계를 바탕으로 최종 점수를 얻을 수 있는 경우와 그에 따르는 확률은 다음의 그림과 같이 나타낼 수 있다

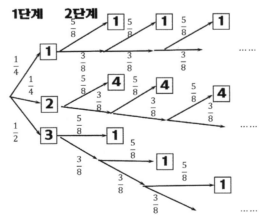

▶ 위의 그림을 바탕으로 영희가 얻을 수 있는 최종 점수의 기댓값은 다음과 같이 계산된

다.

$$1^2\left(\frac{1}{4}\frac{5}{8}+\frac{1}{4}\frac{5}{8}\frac{3}{8}+\frac{1}{4}\frac{5}{8}\left(\frac{3}{8}\right)^2+\frac{1}{4}\frac{5}{8}\left(\frac{3}{8}\right)^3+\cdots\right)$$

$$+2^2\left(\frac{1}{4}\frac{5}{8}+\frac{1}{4}\frac{5}{8}\frac{3}{8}+\frac{1}{4}\frac{5}{8}\left(\frac{3}{8}\right)^2+\frac{1}{4}\frac{5}{8}\left(\frac{3}{8}\right)^3+\cdots\right)$$

$$+3^2\left(\frac{1}{2}\frac{5}{8}+\frac{1}{2}\frac{5}{8}\frac{3}{8}+\frac{1}{2}\frac{5}{8}\left(\frac{3}{8}\right)^2+\frac{1}{2}\frac{5}{8}\left(\frac{3}{8}\right)^3+\cdots\right)$$

$$=\frac{1}{4}+1+\frac{9}{2}=\frac{23}{4}\ \textbf{또는}\ 5.8$$

[문제 2] 다음을 읽고 문제에 답하시오.

두 함수 $f:X\to Y$, $g:Y\to Z$ 에 대하여 X의 각 원소 x에 Z 의 원소 $g(f(x))$를 대응시켜 X를 정의역, Z를 공역으로 하는 새로운 함수를 정의할 수 있다. 이 새로운 함수를 f와 g의 합성함수라 하고, 기호로 $g\circ f:X\to Z$와 같이 나타낸다.

$a>0$, $a\neq1$, $N>0$일 때 다음이 성립한다.

$$a^x=N\Leftrightarrow x=\log_aN$$

미분가능한 두 함수 $f(x)$, $g(x)$에 대하여 다음이 성립한다.

$$\int f(x)g'(x)dx=f(x)g(x)-\int f'(x)g(x)dx$$

[문제 2-1] 함수 $f(x)=\dfrac{cx+1}{dx+1}$ 에 대하여 $(f\circ f\circ f)(x)=x$을 만족하는 실수 x가 무한히 많이 있다. 이때 d의 최댓값을 구하시오. (단, c, d는 실수이다.) [10점]

합성함수의 정의를 적용하여

$$(f\circ f)(x)=f(f(x))=\frac{c\left(\dfrac{cx+1}{dx+1}\right)+1}{d\left(\dfrac{cx+1}{dx+1}\right)+1}=\frac{(c^2+d)x+(c+1)}{d(c+1)x+(d+1)}$$

이 됨을 알 수 있고 이로부터

$$(f\circ f\circ f)(x)=(f\circ f)(f(x))=\frac{(c^3+2cd+d)x+(c^2+c+d+1)}{d(c^2+c+d+1)x+(cd+2d+1)}$$

를 얻는다.

$(f\circ f\circ f)(x)=x$가 무한히 많은 실수 x에 대하여 성립하므로

$$d(c^2+c+d+1)x^2+(cd+2d+1)x=(c^3+2cd+d)x+(c^2+c+d+1)$$

가 항등식이라 는 것을 알 수 있고, 따라서

$$d(c^2+c+d+1)=0,\quad cd+2d+1=c^3+2cd+d,\quad c^2+c+d+1=0$$

를 얻는다. 이를 정리하면 $d=-c^2-c-1$의 조건을 얻고, 이를 대입하면 다른 조건들도 만족됨을 알 수 있다. 따라서 $d=-c^2-c-1=-\left(c+\dfrac{1}{2}\right)^2-\dfrac{3}{4}$로부터, 가능 한 d의 최댓값은 $c=-\dfrac{1}{2}$일 때 $-\dfrac{3}{4}$이다.

[문제 2-2] $0 < x < 1$에서 정의된 함수 $g(x) = \int_1^x \sin(\ln t)dt$에 대하여, $g(x)$가 극값을 가지는 점들의 집합을 A라고 하자. A의 원소들을 큰 순서대로 모두 나열한 수열을 $\{a_n\}$이라고 할 때, $\sum_{n=1}^{\infty}\left(g(a_n) - \frac{1}{2}\right)$의 값을 구하시오. [15점]

$s = \ln t$로 치환하면 $g(x) = \int_1^x \sin(\ln t)dt = \int_0^{\ln x} \sin s \cdot e^s ds$가 되고, 부분적분법을 이용하면

$$\int_0^{\ln x} e^s \sin s\, ds = \left[-e^s \cos s\right]_0^{\ln x} - \int_0^{\ln x}(-e^s \cos s)ds = \left[-e^s \cos s\right]_0^{\ln x} + \int_0^{\ln x} e^s \cos s\, ds$$

가 되며, 부분적분법을 한번 더 이용하면

$$\int_0^{\ln x} e^s \sin s\, ds = \left[-e^s \cos s\right]_0^{\ln x} + \left[e^s \sin s\right]_0^{\ln x} - \int_0^{\ln x} e^s \sin s\, ds$$

가 되어

$$\int_0^{\ln x} e^s \sin s\, ds = \frac{1}{2}\left[e^s \sin s - e^s \cos s\right]_0^{\ln x} = \frac{x}{2}(\sin(\ln x) - \cos(\ln x)) + \frac{1}{2}$$

임을 알 수 있다. 한편, $g(x)$가 극값을 가지는 점들은 $g'(x) = \sin(\ln x) = 0$인 점들이므로 $\ln x = n\pi$ (단, n는 정수)이고, 문제의 조건 $0 < x < 1$으로부터 $g(x)$는 $x = e^{-n\pi}$ (단, n는 자연수)에서 극값을 가짐을 알 수 있다. 이때,

$$g(e^{-n\pi}) = \frac{e^{-n\pi}}{2}(\sin(-n\pi) - \cos(-n\pi)) + \frac{1}{2} = -e^{-n\pi} \cdot (-1)^n + \frac{1}{2}$$

이므로

$$\sum_{k=1}^{\infty}\left(g(a_n) - \frac{1}{2}\right) = -\frac{1}{2}\sum_{n=1}^{\infty}(-e^{-\pi})^n = -\frac{1}{2}\frac{-e^{-\pi}}{1 + e^{-\pi}} = \frac{1}{2(e^\pi + 1)}$$

이다.

[문제 3] 다음을 읽고 문제에 답하시오.

- 직선 $y = mx + n (m \neq 0)$이 양의 방향의 x축과 이루는 각의 크기를 θ라고 하면 $\tan\theta = m$이다.
- 두 직선 $y = m_1 x + n_1$, $y = m_2 x + n_2$가 서로 수직이면 $m_1 m_2 = -1$이다.
- 0과 π사이의 각 α와 β에 대하여 다음 식이 성립한다.

$$\tan(\alpha - \beta) = \frac{\tan\alpha - \tan\beta}{1 + \tan\alpha \tan\beta}$$
$$\left(\text{단, } \alpha \neq \frac{\pi}{2}, \beta \neq \frac{\pi}{2}, \tan\alpha\tan\beta \neq -1\right)$$

- 함수 $f(x)$가 $x = c$에서 미분가능할 때, 곡선 $y = f(x)$위의 점 $(c, f(c))$에서의 접선의 방정식은 $y - f(c) = f'(c)(x - c)$이다.
- 함수 $g(x)$가 구간 $[u, v]$에서 연속이고 $g(x) \geq 0$이면 정적분 $\int_u^v g(x)dx$는 곡선 $y = g(x)$와 두 직선 $x = u$, $x = v$및 x축으로 둘러싸인 도형의 넓이를 나타낸다.

[문제 3-1] 포물선 $y=b-ax^2\,(b>2)$가 원 $x^2+y^2-2y=0$에 외접하도록 두 실수 $a,\ b$를 정할 때, 이 포물선과 x축으로 둘러싸인 영역의 넓이를 a로 표현하고 그 넓이의 최솟값을 구하시오. [10점]

두 식 $y=b-ax^2$와 $x^2+y^2-2y=0$을 연립하여 y에 관한 이차방정식

$$y^2-\left(2+\frac{1}{a}\right)y+\frac{b}{a}=0$$

을 얻는다. 포물선이 원에 외접하므로 이 이차방정식은 중근을 갖는다. 따라서

$D=\left(2+\dfrac{1}{a}\right)^2-4\cdot\dfrac{b}{a}=0$에서

$$b=\frac{a}{4}\left(2+\frac{1}{a}\right)^2=a+\frac{1}{4a}+1$$

을 얻는다. $b=a+\dfrac{1}{4a}+1>2$이므로 $a>0$이다. 포물선과 x축으로 둘러싸인 영역의 넓이를 $h(a)$라 하면,

$$h(a)=\int_{-\sqrt{\frac{b}{a}}}^{\sqrt{\frac{b}{a}}}(b-ax^2)dx=2\int_{0}^{\sqrt{\frac{b}{a}}}(b-ax^2)dx=\frac{4b}{3}\sqrt{\frac{b}{a}}=\frac{a}{6}\left(2+\frac{1}{a}\right)^3$$

이다. $a>0$이어서 $h'(a)=\dfrac{1}{3}\left(2+\dfrac{1}{a}\right)^2\left(1-\dfrac{1}{a}\right)=0$에서 $a=1$을 얻는다. $h(1)=\dfrac{9}{2}$이므로

넓이의 최솟값은 $\dfrac{9}{2}$이다.

[문제 3-2] 포물선 $y=3-x^2$ 위의 점 A는, 점 A에서 그은 접선 위의 한 점 B와 점 C$(-\sqrt{3},\ 0)$과 함께 정삼각형 ABC를 이룬다. 두 점 A, B의 쌍을 모두 찾아 좌표를 제시하시오. [15점]

두 직선 AC, AB가 x축의 양의 방향과 이루는 각을 각각 $\alpha,\ \beta$라 하자. 이 두 직선의 교점을 지나고 x축과 평행한 직선이, 두 직선 AC, AB가 이루는 둔각 또는 예각을 통과함에 따라 $|\alpha-\beta|=60\,^\circ$ 또는 $|\alpha-\beta|=120\,^\circ$이다. 점 A를 $(a,\ 3-a^2)$으로 놓으면 두 직선 AC, AB의 기울기는 각각 $\tan\alpha=\dfrac{(3-a^2)-0}{a-(-\sqrt{3})}=\sqrt{3}-a$, $\tan\beta=-2a$이므로

$$\pm\sqrt{3}=\tan(\alpha-\beta)=\frac{\tan\alpha-\tan\beta}{1+\tan\alpha\tan\beta}=\frac{(\sqrt{3}-a)-(-2a)}{1+(\sqrt{3}-a)(-2a)}$$

에서 $a=0$또는 $a=\dfrac{7\sqrt{3}}{6}$을 얻는다. $a=0$이면 A$=(0,\ 3)$, B$=(-2\sqrt{3},\ 3)$이다.

$a=\dfrac{7\sqrt{3}}{6}$이면 A$=\left(\dfrac{7\sqrt{3}}{6},\ -\dfrac{13}{12}\right)$이고 직선 AB의 방정식은

$$y=-2a(x-a)+3-a^2=-\frac{7\sqrt{3}}{3}x+\frac{85}{12}$$

196

이다. 선분 AC의 중점을 D라 하면 $D = \left(\dfrac{\sqrt{3}}{12}, \ -\dfrac{13}{24} \right)$이다. 점 B를 $\left(b, \ -\dfrac{7\sqrt{3}}{3}b + \dfrac{85}{12} \right)$라

하면 직선 AC의 기울기는 $-\dfrac{\sqrt{3}}{6}$이고 직선 BD는 직선 AC와 수직이므로

$$\frac{\left(-\dfrac{7\sqrt{3}}{3}b + \dfrac{85}{12} \right) - \left(-\dfrac{13}{24} \right)}{b - \dfrac{\sqrt{3}}{12}} = \frac{6}{\sqrt{3}}$$

에서 $b = \dfrac{5\sqrt{3}}{8}$을 얻는다. 따라서 점 B는 $\left(\dfrac{5\sqrt{3}}{8}, \ \dfrac{65}{24} \right)$이다.